KB081318

죽이고 싶지만
섹스는 하고 싶어

죽이고 싶지만 섹스는 하고 싶어

발 행 | 2024년 1월 31일
저 자 | 남킹
펴낸이 | 한건희
펴낸곳 | 주식회사 부크크
출판사등록 | 2014.07.15.(제2014-16호)
주 소 | 서울특별시 금천구 가산디지털1로 119 SK트윈타워 A동 305호
전 화 | 1670-8316
이메일 | info@bookk.co.kr

ISBN | 979-11-410-6980-3

www.bookk.co.kr

죽이고 싶지만
섹스는 하고 싶어

남킹 범죄 소설집

목차

마르 데페스에게 이 책을 바칩니다.

거미줄

“성공의 배후에는 오로지 하나의 의지, 즉 가장 높은 다이빙대에서 장려하게 추락하려는 의지가 있을 뿐이다.” <베르나르 베르베르 - 상상력 사전>

1.

“너 같은 녀석도 꼭 필요한 존재지. 사회악. 왜 그런 줄 알아?” 어느 날 교도소장이 나를 불렀다. 487일을 복역한 날이었다. 그리고 내일 출소가 예정되어 있었다.

“사회도 면역이 필요하거든. 항체 말이야. 너 같은 녀석들을 다루다 보면 그런 게 생겨나거든.” 나는 가만히 듣고 있었다. 하긴 그 자리에서 내가 뭐라고 대답을 하겠는가? 하루만 지나면 평생 안 봐도 되는 인물한테.

“그러니 쓸모없는 인생이라고 자괴하지 않아도 된다는 말씀이야. 세상을 위한 거름. 뭐, 그런 운명을 타고난 거지. 말하자면.” 그는 두꺼운 안경 너머로 미소를 띄웠다.

“나잇살이나 훔친 이 미욱한 늙은이가 자조하듯 쓴 글이네. 한 번쯤은 곱씹을 만할 거야. 받아두게.” 그리고 내게 책을 건넸다.

출소 후, 나의 첫 행동은 쓰레기통을 찾는 거였다. 그리고 그 책을 버렸다. 물론 한 줄도 읽지 않았다. 책 표지만 어쩔 수 없이 봤다. 온화한 모습의 소장이 그려져 있다. <감옥으로부터의 명상> <김학수 저> 나는 끈적거리는 거미줄을 털어 내고 싶었다. 하지만 잘 안 되었다.

****

가끔은 하고 싶지 않은데 그냥 할 때가 있다. 고향에 내려왔다. 지겨운 햇빛과 바람이 넘쳤다. 바빠지고 싶은데 한가하게 놀았다. 소싯적에 놀던, 바닷물이 질척거리는 곳에 꾀바른 게를 찾아, 돌 틈을 뒤지고 다녔다. 팔

랑스테르 같은 공동체에 살고 싶었지만 혼자 쓸쓸히 집을 지켰다. 뜨듯한 골방에, 안온한 요에 누워 종일 뒹굴고 싶은데, 거친 숨을 몰아쉬며 백록담을 내려다봤다. 그렇게, 어쩌면 내 인생 최고의 시간이 흘렀다.

어느 날 나는 이력서를 조작했다. 돈이 얼마 남지 않았다. 설익거나 뭉크러진 노지 감귤을 조심스레 까먹으며, 자기소개서를 그럴싸하게 꾸몄다. 신중하고 감사하는 태도를 늘 견지한다고 적었다. 친숙하고 늘 웃는 얼굴로 사람들의 굄을 받는다고도 덧붙였다. 끊임없는 욕구 불만과 좌절과 같은, 익숙하게 내 곁을 감싸는 용어는 모두 감췄다. 성실함도 잊지 않고 기록했다. 완벽한 자기소개서. 훌륭한 거짓말이 끈적거리며 사방에 퍼졌다.

나이든 면접관은 나를 반갑게 맞았다. 그는 작은 나보다 더 작았다. 나의 소설을 흐뭇하게 읽고 믿음을 주었다. 그는 나의 거짓말을 통해 나를 안다고 믿었다. 나는, 그의 표정을 통해, 그가 나를 믿고 있다고 믿었다.

"컨시어지란 게, 어려운 거 하나도 없습니다." 그는 얄팍한 안경 너머로 미소를 띄웠다.

"친절하기만 하면 되는 거죠. 세상의 이치처럼 말이죠. 친절하면 뭐든지 통하는 세상 아닙니까?" 나는 진지하게 가만히 듣고 있었다. 하긴 뭐, 내가 그 자리에서 뭐라고 답하겠는가? 모두 옳은 말인데.

그의 말대로 골프장 컨시어지는 간단한 일이었다. 자동차 트렁크에서 골프 백을 꺼내거나 싣기만 하면 되었다. 물론, 달콤한 미소를 머금은 채 말이다. 세상에 이렇게나 간단한 일이 있다니! 나는 콧바람을 불며 즐거이 일했다. 차가 오면 달려나가고, 안 오면 '관계자 외 출입 금지' 팻말이 붙은 자그마한 사무실에서 일회용 커피를 마셨다. 손님들은 몰려서 왔다. 바쁠 땐 아주 바쁘고 한가할 땐 아주 한가했다. 그리고 비가 많이 오거나 바람이 아주 세차게 부는 날에는 손님이 뚝 끊어졌다. 그럴 때면 종일 책상에 앉아 하늘과 바람, 구름을 지켜봤다. 혹은 달팽이가 남긴 끈끈액 흔적을 눈으로 따라가거나, 노란 꽃의 개자리 정원을 무심히 쳐다보기도 했다. 무엇을 하던, 하루의 정해진 9시간은 무던히 흘러갔고, 나는 연명할 수 있는 적당한 양의 돈을 벌었다.

나의 직장 동료는 나보다 스무 살이나 많았다. 술을 아주 좋아한다는 것 외에는 무척 편안한 사람이었다. 즐거운 일을 함께한 이보다 고통을 함께 나눈 이들에게 더 큰 친근함을 느낀다고, 어디선가 들은 적이 있다. 웃기는 소리. 사람 나름이다. 친근함은 좋은 사람에게만 비롯된다. 그리고 나는 나쁜 사람이다. 나에게서 사람들은 불쾌감을 느낀다. 한마디로 <재수 없는 놈>이다. 나는 세상 어디에든 거미줄을 친다. 내게 걸려든 인간은 대체로 순박하고 착하다. 그리고 나는 영악하다.

우리는 매일 막걸리를 마셨다. 막걸리만 마셨다. 하루에 한 병, 두 병 혹은 세 병씩 마셨다. 얼마 지나지 않아 나는 그와 관계된 모든 것을 알게 되었다. 그는 스무 살에 일본으로 건너가 오십에 제주도로 돌아왔다. 일본인 아내와 함께. 자식은 없으며 애완견 다섯 마리를 키웠다. 그리고 좁고 낡은 빌라에 살았다. 아내는 박물관에 근무하였다. 그의 말을 빌자면, 도내에서 가장 훌륭한 섹스 박물관이라고 하였다.

그는 나를 다정한 동생으로 여겼다. 나는 그를 좋은 먹잇감으로 생각했다. 그는 검소하였다. 그는 마당이 있는 작은 주택에 살고자 했다. 아내의 소원이었다. 그는 아주 조금씩 오랫동안 돈을 모으고 있었다. 어느 날 나는 서울행 비행기에 몸을 실었다. 그의 꿈이 담긴 돈 가방을 지닌 채. 기내 화장실에서 용변을 본 나는, 끈적거리는 손을 열심히 씻었다. 잘 씻기지 않았다.

2.

“그냥 소박하게 현재에 살고 싶은 거야.” 나는 그녀의 서글픈 눈동자를 바라봤다.

“그냥 미래를 보지 말고, 뜬구름 같은 목표도 생각지 말고.” 그녀는 애절한 표정으로 말을 이었다.

“하루하루가 평형한 상태로 사는 거 말이야.” 약혼자는 내가 정치판에 뛰어든 이듬해, 내 곁을 떠났다. 미국 유학에서 돌아오자마자 정계로 뛰어든 건 당연한 거였다. 원래부터 정치인이 되고 싶었다. 즉, 남들보다 잘 먹고 잘사는 게 목표였다. 남들처럼.

기초는 잘 다져두었다. 훌륭한 학벌, 착한 외모, 수려한 말솜씨, 온화한 미소. 나는 일찌감치 파악했다. 내용보다는 형식이 중요하고 겉치레가 실속을 능가하는 세상을. 나는 유권자를 잘 알고 있었다. 더는 정강 정책에 관심을 두지 않는다는 사실을. 더는 정직함에 기반을 두지 않는다는 사실을. 그들은 출신 지역, 학교, 생김새와 미소, 음성, 옷맵시, 언론 노출, 당당한 자세, 재치 있는 언변 따위로 후보자를 선택한다는 것을.

어느 날 나는 정치인들을 조사했다. 거름이 될 든든한

후원자가 필요했다. 아니 좀 더 정확히 표현하자면, 나의 허수아비. 나의 유학을 책임진 전 약혼자처럼. 나는 농수산물 도매시장에 버려진 단감을 주우어와 조심스레 깎아 먹으며, 자기소개서를 화려하게 꾸몄다. 미국 유학 시절, 모 주지사의 선거 캠프에서 대단한 역할을 했다고 자신을 치켜세웠다. 물론, 실제로 참가한 적은 없었다. 대신, 참가했던 동기들로부터 귀동냥은 열심히 듣고 다녔다.

끈기 있고 치열하게 세상을 마주한다고 적었다. 능숙하고 늘 믿음이 가는 얼굴로 유권자들을 설득할 수 있다고도 덧붙였다. 쉴 새 없는 감정 기복과 불만, 고통 같은, 나를 수식하고 규정짓는 단어들은 모두 없앴다. 우수한 학교 성적도 빠트리지 않고 적어 넣었다. 대단한 자기소개서. 전도 양양한, 새 나라의 젊은 일꾼. 멋진 공갈이 끈적거리며 나를 감쌌다.

거만한 국회의원은 나를 한 번 흘낏 보고는, 시선을 자기소개서에 두었다. 그는 영악한 나보다 더 영악해 보였다. 나의 부풀림을 감동 있게 읽었다고 하였다. 그는 나의 기만을 통해 나를 신뢰한다고 믿었다. 나는, 그의 표정을 통해, 그가 나의 버팀목으로 손색이 없음을 어림하여 헤아렸다.

"정치라는 게, 어려운 거 하나도 없어." 그는 두툼한 볼살을 흔들며 큰소리로 웃었다.

"그럴싸하기만 하면 되는 거야. 이게 세상의 이치야. 그럴싸하면 뭐든지 통하는 세상이니까. 그렇지?" 나는 확신에 찬 모습으로 고개를 끄덕였다. 하긴 뭐, 내가 그 자리에서 뭐라고 반박을 하겠는가? 불변의 진리인데.

그의 말대로 그를 보좌하는 일은 어렵지 않았다. 나는 정보와 관련된 일을 하였다. 불리한 정보는 감추고, 유리한 정보는 드러내는 일이었다. 정보의 통제. 정의는 간단하였다. 하지만 쉬운 듯 어렵고 어려운 듯 쉬웠다. 웹의 세상에 한 번 드러난 정보는 숨기기가 불가능하였다. 그래서 정보를 차단하지 않고 유사 정보를 창조하여 범람시키곤 하였다. 홍수처럼 쏟아져 나오는 무의미한 정보들 속에서 사람들은 정작 중요한 정보가 무엇인지 헷갈리기 마련이다.

요즈음은 졸작들의 과잉시대이다. 무엇이든 쉽게 만들고, 그리고, 작곡하고, 창조하고, 글을 쓰고, 꾸며서 세상에 내보낼 수 있다. 유사하게 만들기는 더욱 쉽다. 수많은 베낌 속에 독창은 사라지고 비평은 무엇을 봐야 할지 갈피를 못 잡고 있다. 나는 짜깁기의 대가였다. 필요한 지식은 검색하면 쉽사리 나왔다. 이곳저곳의 기사를 가져와, 비근한 예를 들고, 적당히 버무리고 살짝 비틀어서, 사건의 맥락을 잇대고, 그럴싸하게 보이게만 하면 그만이었다. 대중을 현혹하는 혼탁한 거미줄 세상. 나는 명민한 통찰력을 지닌 창조자였다.

나는 기사를 올릴 때마다 신나게 외쳤다. “아브라카다브라 <말한 대로 될지어다>” 난 속임이 주는 가짜 세상에 위안을 얻었다. 그리고 만족한 나의 허수아비는 점점 나를 좋아했다. 나는 그의 뜨락에 꼭꼭 숨었다. 나는 아무도 나를 모른다는 사실을 마음껏 누렸다. 고개를 들어, 처마 밑, 어둡고 구석진 곳을 유심히 봐야만 보이는 나는, 칸살이 붙은 내 침대에 편안히 누워 지냈다. 급전직하한 정치 세계에 변함없이 총만 받는 어두운 그림자였다.

적어도 그 망할 놈의 기자 새끼가 절뚝거리며 집요하게 달라붙기 전까지는 말이다.

“야! 오랜만이다!” 녀석을 보는 순간, 잊었던 공포가 밀려왔다.

3.

태풍이 몰려왔다. 수송기 부대 항공기 정비 특기인 나는, 내심 이런 날을 기다렸다. 왜냐하면, 궂은 날에는 일이 없기 때문이다. 우리는 최대한 많은 항공기를 격납고에 들여놓았고, 외부에 있는 비행기, 헬기, 관련 장비들은 모두 결박하였다. 찌는 듯한 더위가 사라졌다. 바람이 점점 거칠어지기 시작했다. 상쾌했다.

그런데, 갑자기 서늘함이 오싹하게 왔다. 집합이 떨어졌다. 7 내무반 상병 이하 모두. 장소는 행거(Hangar)안 C-123. 바로 우리가 매일 정비하는 수송기 안이다. 최악의 집합 장소다. 좌, 우측 도어와 후방 로딩 도어까지 모두 닫히고 나면, 그 속에서 어떤 참사가 벌어져도 바깥에 찍소리 하나 들리지 않는다. 비행기는 폐차 직전의 화물차보다 더 낡아 '과연 이런 게 뜨긴 뜨는 거야?' 할 정도지만 방음장치 하나 만은 완벽하였다.

사이코 윤 병장의 지시였다. 행거로 향하는 발걸음이 공포로 후들거렸다. 같이 걷고 있는 동기, 오 상병, 김 상병 얼굴에도 두려움이 무겁게 걸려있다. 삑 하고 행거의 조그만 철문을 열고 들어서자 넓은 공간에 덩그러니, 뚱뚱한 수송기 한 대가 놓여있다. 베트남 전쟁 당시, 고엽제 살포기로 악명을 떨쳤던 그 비행기다. 그리고 이젠 우리에게 또 다른 오명이 되었다.

윤 병장의 집합 장소는 그의 기분에 따라, 주로 세 군데로 나뉘었다. 내무반, 화장실, 비행기. 내무반에서는 비교적 가벼운 구타가 이루어졌다. 뺨을 때리던가, 흔히 '쪼인트 깐다'로 알려진 정강이 걷어차기, 젖꼭지 비틀기 등등. 그다지 큰 소음이 발생하지 않는 가벼운 형벌들이었다. 군에서의 구타 행위가 기본적으로 금지된 상황인지라, 가끔 깐깐한 당직사관에게 들키게 되면 문제가 될 수도 있기 때문이었다. 아무리 사이코라지만, 윤 병장도 내무반에서는 눈치를 보며 때렸다.

다음은 화장실. 정확하게는 외부 화장실 뒤편이다. 여기서는 주로 주먹과 군홧발, 몽둥이가 이용되었다. 강도는 강하지만 시간은 비교적 짧게 이루어졌다. 왜냐하면, 이곳에도 아주 가끔이지만, 부지런한 당직 사령관이 순찰을 돌 때가 있기 때문이었다. 들키면 빼도 박도 못하고 헌병대 영창에 보내질 수도 있었다. 상병 때 이미 영창 경험을 한 적이 있는 이 사이코는, 헌병대에 끌려가는 것을 엄청 두려워했다. 그래서인지 화장실 집합은 말이 떨어지기 무섭게 후다닥 해치우는 게 특징이었다.

그리고 비행기 안. 나는 자대배치 후, 일주일도 지나지 않아 맞닥뜨린, 비행기 집합의 공포를 아직도 생생하게 기억한다. 노란 전구. 수송기의 모든 문이 닫히면 흐릿한 노란 세상이 되었다. 세상의 모든 소리는 감춰지고 침묵 속에는 무한한 공포가 흘렀다. 그리고 시작된 상급자의 무차별 폭행. 군홧발이 여러 차례 가슴팍으로 날아들었다. 하지만 더 무서운 건, 맞는 순간, 쓰러지지 말아야 한다는 것이다.

다른 장소라면, 쓰러지는 게 충격 완화에 한결 도움이 된다. 그래서 소위 '짬밥이 어느 정도 된' 상병쯤 되면, 축구에서 말하는 '헐리웃 액션'의 대가가 된다. 살짝 스치기만 해도 멋있게 나뒹구는 거였다. 하지만 수송기 안은 좁고 딱딱하다. 내부는 온통 강철로 이루어졌다. 부드러운 카펫과 안락한 의자가 마련된 민간 여객기가 아니다. 쓰러져 어느 부위에 어떻게 부딪히더라도 그 통증은 상상을 초월한다. 그래서 맞더라도 이를 악물고 버텨야 한다. 그게 발이든 손이든 쇠파이프든 상관없이 말이다.

어둠 속에 두툼하고 기형적인 몸집의 윤병장이, 거친 이맛살을 잔뜩 찌푸리고는 들어왔다. 홱 쏠리는 서슬에 심장이 날카롭게 뛰기 시작했다. 바늘 끝처럼 날카로운 공포가 온몸을 찌르르 관통하며 내려갔다. 그는 천천히 그의 군화 끈을 조이기 시작했다. 후들거리는 다리에 서 있기조차 싫지 않았다. 나는 흐르지도 않는 땀이 눈에 든 듯, 계속해서 눈을 껌뻑거렸다. 윤병장의 찢어진 눈길이 내게 닿았다. 나는 서둘러 눈을 깔았다. 하지만 그가 계속해서 나를 쳐다보고 있다는 것을 느낄 수 있었다. 그 비열한 눈길이 나를 훑고 지나갔다. 아랫배 깊숙이 익숙한 공포가 찔러왔다.

구타가 시작되었다. 겁에 질린 목소리가 귀청을 따갑게 두드렸다.

침상에 피곤한 몸뚱이를 뉘자 가슴의 통증이 납덩이처럼 무겁게 누르기 시작했다. 군홧발로 적어도 열대는 맞은 것 같았다. 그나마 때리다 지친 녀석이 쇠파이프 들기를 포기한 게 다행이었다. 가슴 전체가 아주 골고루 쑤시고 결렸다. 하지만 육신의 고통은 아무것도 아니었다. 상실감조차 무뎌진 것 같은 비참함이었다. 게다가 저 정신병자 녀석과 앞으로 1년은 더 붙어살아야 한다는 점이었다. 정말 죽이고 싶을 만큼 미운 놈과 같은 침낭에서 살을 맞대고 해를 넘겨야 한다는 것이다. 정말 할 수만 있다면 시간의 바늘을 내 손으로 확 잡아당기고 싶었다. 앞으로 당길 수 없다면 차라리 거꾸로라도 돌리고 싶었다. 이 인간을 만나지 않아도 되는 수많은 경우의 순간으로 말이다.

지난 일 년은 정신없이 그럭저럭 버텨왔다. 하지만 앞으로도 과연 그럴 수 있을지? 점점 불안해졌다. 나 자신의 정신 상태를 신뢰하기가, 갈수록 까다로워지고 있었다. 나는 어쩌면 차츰 저 녀석과 닮아가고 있는지도 모르겠다. 부지불식간에 내가 꿈꿔왔던 내 삶을 송두리째, 한순간에 부숴버릴 것만 같았다. 그게 정말 두려웠다.

윤 병장과는 입대일이 불과 5개월 차이다. 더욱이 그는 나보다 4살이나 어렸다. 그는 대학 입학과 동시에, 나는 대학 졸업과 동시에 입대했다. 만약 내가 경제적 어려움으로, 한 학기 휴학하지 않았다면, 그는 나의 졸병 혹은 최소한 입대 동기가 되었을 것이다.

사실 입대는 나의 계획에 들어 있지 않았다. 나는 정치학 교수가 되고 싶었다. 나는 한국의 근, 현대사, 특히 이승만 정권 이후, 친일파들이 어떻게 이 나라를 망쳐놓았는가에 대한 강한 지적 호기심을 줄곧 느껴왔다. 나는 대학 입학 이후, 대학을 떠난다는 생각을 단 한 번도 해보지 않았다. 적어도 아버지가 거액의 부도를 내고 잠적하기 전까지는 말이다.

4.

바람 소리가 점점 크게 들려왔다. 하필이면 오늘, 윤병장하고 같은 불침번 조가 되었다. 당직사관이, 오늘 밤 03시경에 태풍의 중심이 지나갈 것이라며, 특히 주의하라고 경고하였다.

녀석과 불침번을 서게 되면 여러 가지로 힘들었다. 담배를 넉넉하게 준비해야 하고, 고약한 입 냄새를 견뎌야만 하였다. 게다가 녀석은 한 번도 지정된 자리에서 불침번을 선 적이 없었다. 그가 즐기는 장소는 격납고에서 50m쯤 떨어진 곳에 있는 작은 막사였다. 그는 그곳에 숨어 담배를 피우거나, 구석에 처박혀 잠을 청하곤 하였다. 녀석이 구석으로 들어가면 나는 바짝 긴장할 수밖에 없었다. 당직사관의 불시 방문 전에, 녀석을 깨워서 데려와야 하기 때문이었다.

하지만, 그날. 초유의 강력 태풍이 온 그 날. 녀석은 대범하기 그지없는 결정을 내게 통보하였다. 200m쯤 떨어진 공사장 임시 건물에 가겠다는 거였다.

몇 달 전부터 기내에 공사판이 벌어졌다. 무슨 공사인

지는 알 길이 없었다. 아무튼, 공사판이 생기니 자연스럽게 밥집이 마련되었다. 그런데 녀석은 그때부터 매일 그곳에 가서 밥을 때우곤 했다. 물론 사병이 밥집을 가는 것은 불법이었다. 걸리면 바로 영창이었다. 하지만 녀석은 뻔뻔하게 거의 매일 들렀다. 그러다 보니 밥집 아줌마하고 엄청 친해졌다.

거의 30살 넘게 차이가 나는데도, 누나 누나 하며 밥집 아줌마한테 찰싹 달라붙어서 사제 밥을 우걱우걱 처먹곤 하였다. 우리가 이 사정을 잘 아는 이유는, 녀석이 자기 돈으로 절대 밥을 사 먹지 않는다는 거였다. 녀석은 졸병들을 번차례로 한 명씩 불러내어 같이 밥을 먹고는, 무슨 자기가 엄청 어려운데 특별히 너를 초청했다는 듯이 생색을 내며, 우리에게 밥값을 착복하는 거였다.

녀석이 사라진 거대한 격납고. 낡고 노란 래커칠이 덧칠해진, 3층 철계단 난간에 선 나는, 거친 바람이 쏟아내는 다양한 소리가 일어나고 가라앉고 변주하는 어둠을 마주하고 있었다. 공간을 가득 채운 군용기들. 그들은 꺽

껙 거리며 바람과 소통하고 있었다. 어디선가 빗물이 새기도 하였다. 관자놀이에서 눈으로 전해지는 가느다란 물방울 튀김.

나는 절망하고 있었다. 끝없는 심연. 내 몸을 불편하게 감싸는 끈적거림. 이런 느낌은 드러나지 않고 그 안에서 증식하고 내뿜으며 이상하리만치 공간으로 뻗어 나갔다. 나는 두려움에 떨면서 난생처음인 것처럼 소스라치게 놀라다가 순간 막무가내로 떠오르는 그리움에 젖기도 하였다.

그녀의 하얀 이마. 자그맣고 매끈한 피부. 얇은 입술. 반짝이는 귀걸이. 볼을 만졌을 때 느낀 차가움. 다갈색의 반짝이는 눈. 앙상한 어깨를 덮은 매끄러운 촉감. 단순하고 소박한, 명주로 만든 부드러운 안감. 나는 그 순간, 아마 내가 살아야 할 이유를 본능적으로 찾으려고 애썼는지도 모르겠다. 세상은 점점 나빠지고 있다. 나는 모슬린 천으로 만든, 바다 빛깔 드레스를 입혀주고 싶었다.

"죄송해요. 하지만 현실이잖아요. 전, 저를 재정적으로 도와줄 사람이 필요하거든요. 기다리지 않을 거예요. 미안해요." 헬리오트롭 같은 보랏빛 스웨터를 입은 여인은, 반짝이는 첼로 케이스를 만지작거리며, 눈물을 글썽거렸다. 나는 아무 말도 할 수 없었다. 하긴 뭐, 내가 그 자리에서 뭐라고 하겠는가? 세상의 이치인 것을.

이런 가장과 몽환이 뒤섞인, 이상한 느낌은 하지만, 오래가지 않았다. 세상을 삼킬 듯한 심한 폭풍 소리가 세상을 흔들었다. 나는 천천히 우의를 입었다. 철모의 끈을 바짝 당겼다. 마치 가시로 만든 화관을 쓴 것처럼 따가웠다. 나는 좁은 철문을 힘껏 열어젖히고 태풍 속으로 발을 들였다. 거친 비바람이 삽시간에 얼굴을 강타했다. 나는 비틀거리며 천천히 앞으로 나아갔다.

얼마 지나지 않아 나는 공사장 입구에 도착했다. 임시 건물을 지탱하는 끈들이 공포 속에 덜덜덜 떨고 있었다. 속을 비추는 초라한 봉창이 흐릿하였다.

나는 칼을 꺼내 끈들을 하나씩 하나씩 천천히 자르기 시작했다. 끈적끈적한 끈들이 거칠게 반항했다. 나의 손을 휘어잡고 감돌아 지나가며 발악을 하였다. 하지만 나는 단호하게 마지막 끈까지 잘라 버렸다. 거추장스러운 줄들이 어둠 속에 사라졌다. 멋지고 시원한 바람이 내 귀를 휙휙 거리며 지나쳤다.

건물이 삽시간에 흔들리기 시작했다. 흔들림의 강도가 거세어지더니, 심한 소리를 내며 꼬부라졌다. 이윽고 축구공처럼 굴러가기 시작했다. 그러더니 짜부라지는 소리와 함께 가뭇없이 사라져 버렸다.

태풍이 지나가자 평화가 찾아 왔다. 윤병장은 공사장에서 300m나 떨어진 곳에 발견되어 군 병원으로 후송되었다. 그리고 그곳에서 의병 전역을 하였다. 한쪽 다리가 심하게 부러졌다고 하였다. 나는 14박 15일의 포상휴가를 받았다. 악천후에도 불구하고 동료를 구하기 위해 고군분투한 점이 참작되었다.

나는 그때 느꼈다. 비로소 세상에 나갈 준비가 된 것을. 나는 한 마리의 귀여운 거미로 변신하였다. 나는 이제 육안과 심안, 영안 모두 바뀌었다. 입가에 거품이 북적거리기 시작했다. 그리고 항문에서 뭔가가 비죽이 튀어나오고 있었다. 나는 텅 빈 어딘가, 위로 천천히 올라갔다.

그녀, 사형수

교도소 철망이 열리면 나는 심호흡을 한다. 이제 익숙한 곳이지만, 불안이 내면의 깊은 곳에 여전히 박혀있다. 동시에 흥분이 인다. 스스로 선택한 방문이지만 확신은 그다지 없다. 그저 나는 돈이 필요했다. 무명 작가. 문단에 이름 석 자는 일찍이 올렸지만, 대중을 사로잡지도, 비평가의 관심도 끌지 못했다. 그저 그러한 삶이 이어진다. 밥 먹고 살기 위해, 남들이 그다지 하고 싶지 않은 일을 해야만 한다.

일주일에 두 번 나는 교도소를 방문한다. 재소자들에게 작문을 가르친다. 글쓰기 수업. 주제는 없다. 그냥 자신이 쓰고 싶은 아무 글이나 쓴다. 나는 맞춤법, 띄어쓰기 같은 기본 문법만 도와준다. 그리고 그들의 작품에 대한 내 느낌을 간단하게 전달하면 된다. 사실 노력 대비 보수가 꽤 후한 편이다. 지원하는 작가도 많지 않다. 그러니 그저 감옥이라는 부담감만 떨쳐 버리면 꽤 오랫동안 우려먹을 수 있는 쏠쏠한 부업이다.

지난달에는, 언론플레이에 관심이 많은 교도소장의 노

력으로, 모 방송 프로그램에도 잠시 소개가 되었다. 덕분에 창고 구석에 쌓여있던 나의 책들이, 오래간만에 기지개를 켰다는 소식도 들었다. 물론 잠깐이지만.

사실, 사람들이 나의 글에 놀라움과 찬사를 보내던 젊은 시기가 있기는 있었다. 내가 천재라고 착각하던 시절 말이다. 신춘문예에 연속으로 당선하고 지방 신문에 칼럼 하나를 맡을 때였다. 적당한 보수와 힘들이지 않아도 되는 하루. 그리고 추종자들로 둘러싸인 나의 미래가 환각처럼 펼쳐지던 날들. 나는 서둘러 책을 냈다. 황금알을 낳는 거위인 줄 알았다. 한 편, 두 편, 세 편.

4개의 철문이 차례로 열리고 닫히기를 반복하며, 마침내 나는 도서관 옆 라운드 탁자가 놓인 방에 도착했다. 3개의 탁자에 10명의 수강생 시선이 일제히 내게로 몰린다. 모두 여자다. 같은 재소자 복장이지만, 화사한 분홍빛과 덤덤한 회색, 서늘함과 따스함, 늙음과 젊음, 무표정과 반항이 섞여 있다. 그들의 글도 마찬가지다. 단순하고 치졸한 신세 한탄부터, 지나간 날들에 대한 추억과

연민, 혹은 후회로 점철된 우스꽝스럽기 그지없는 고백, 세상에 대한 적개심, 배신과 따돌림, 불우한 숙명으로 이어지는 자조, 그저 시간 보내기용으로 묘사하는 적나라한 야설도 등장한다.

글의 수준은 낮지만 다들 진지하다. 나는 그들을 희망으로 인도하는 착한 거짓말을 한다.

"지난주보다 좋아졌군요."

"네, 많이 나아졌어요."

"표현이 풍부해졌어요."

"좋은 글이군요."

"마음에 닿는군요."

"다음 주가 더 기대됩니다."

****

1시간 반이 그렇게 끝났다. 하지만 끝이 아니다. 아직 30분이 남았다. 나는 다른 한 여자를 기다린다. 일반 재소자와 같이할 수 없는 여인. 사형수.

여자는, 처음이자 마지막으로, 남자 친구와 공모하여 강도질했다. 가족을 협박하여 돈을 갈취한 뒤, 불을 질렀다. 3명이 죽었다. 그녀의 의붓아버지와 이부동생들이었다.

방화는 우연이라고 변호사는 항변했다. 하지만 경찰은 트렁크에 난 신나 자국을 증거로 제시했다. 남자 친구의 차였다.

나는 다시 4개의 문을 통과한다. 일반 면회실을 지나 복도 끝, 정사각형의 골방에 도착한다. 장식이라곤 CCTV뿐인 온통 하얀 곳. 모든 모서리가 라운드로 된

탁자와 의자가 중앙에 있다. 나는 그곳에서 항상 그녀를 기다린다. 장기수 혹은 사형수 전용 면회실.

흥분이 밀려온다. 익숙하지만 늘 낯선 감정이 감싼다. 나는 그녀를 항상 생각한다. 어리석으리만큼 뜨거워진다.

그녀는 뭔가 특별한 것이 있다. 첫 만남부터 그랬다. 여자는 너무나 단순하고 해맑아 보였다. 마치 내가 사형수인 것처럼 느꼈다. 창백한 피부와 투명한 눈빛, 맑은 미소로 그녀는 낯선 이에게 말했다.

"아저씨와 섹스하고 싶어요."

"CCTV가 비추지 않는 좁은 공간이 있어요. 바로 저 구석이죠." 그녀는 열정에 사로잡힌 듯 단발을 흔들며 발그레한 볼을 부풀렸다.

그녀는 느긋하다. 마치 갇힌 공간을 부유(浮遊)하는 햇살 속의 먼지 같았다. 여자는 고사리 같은 손을 턱에 괴고는 끝없이 나를 바라본다. 나는 노트북을 펼치고 녹음기의 플레이 버튼을 누른다. 여자의 목소리가 일정한 속도로 천천히 흘러나온다. 나는 그녀를 자판에 담는다. 여자가 글을 남기는 유일한 방법. 그녀는 세 번이나 자살을 시도했다. 흉기가 될 수 있는 어떤 물건도 허락되지 않는다.

여자의 문장력은 놀랍다. 직선의 광선에 갇혔으나 빛보다 더 선명하게, 그녀가 선택한 단어가 이어지고 엮어진다. 그녀가 내게 내놓은 문장은 화려함을 감춘 응축과 포용이 뒤섞인 황홀한 습지처럼 부스스하다. 낙서와 무질서, 혼란스러운 메모 덩어리들이 뒤죽박죽인 상태로 질서정연하게 이어나간다. 혹은 느닷없이 거친 문장이 치열하고도 단순하게 불쑥 솟아오른다.

나는 그녀의 언어를 탐욕스러운 눈빛으로 쳐다본다. 갖고 싶은 문장들. 내가 늘 건사하고 싶었던 언어들이 보석처럼 빛나고 있다. 겨우 한 장이 끝났는데 숨이 헉하고 찬다. 격렬한 연주가 끝난 음악가처럼 두근거린다. 나는 그녀를 쳐다본다.

"죽기 전에 도서관에 있는 모든 책을 뒤져 볼 생각이에요. 선생님."

"그냥 첫 장만 읽으면 감이 와요. 끝까지 읽어야 할지 말지."

"이번 주에만 벌써 서른 권 넘게 읽었어요. 물론 끝까지 읽은 책은 단 2권이죠. 양철북과 악마의 시."

그녀는 글이 주는 수혜의 병 속에 잠겨있다. 여자의 운명은 너무도 잔인하게, 죽음 앞에 비로소 삶의 가치를 내비친다.

나는 순간, 그녀가 사형수라는 것에 강한 질투심을 느낀다. 어차피 인간은 죽는다. 우리는 모두 그날을 알 수 없는 사형수다. 그녀는 애써 살기 위해 해야 할 의무에서 해방된, 어찌 보면 가장 자유로운 영혼이다. 삶을 온전히 자신에게로 맞추어 놓으면 된다.

나는 타협을 한다. 그녀는 완전히 나에게만 있다. 여자의 사형 집행일은 내 소설이 새롭게 태어나는 날이다. 나는 그녀의 재능으로 명예를 벌고, 그녀는 나로 인해, 사람들 속에 영원히 존재할 것이다. 세상 사람들이 소멸하기까지.

나는 그녀의 생각을 거두고 빈 녹음기를 건넨다. 그리고 그녀의 요구대로 구석으로 갔다. 그리고 거칠게 그녀의 옷을 벗긴다. 앙증맞은 입술에 나를 포갠다. 하찮은 내 몸뚱이를 계약의 징표로 바친다.

블라드 체페슈

바이러스

이런 날이 올 줄 알았다. 이미 여러 번 겪었으니 어찌 보면 안 오는 게 이상한 거였다. 남극 대륙과 가까운, 춥고 외진 섬에 인간이 발자취를 남기는 순간, 풀한 포기 나지 않는, 이 섬에만 살던 <앤탁틱디오스흡혈박쥐>는 펭귄보다 따뜻하고 맛있는 인간의 피에 환장하게 되었다. 수백 마리의 박쥐 떼가 두툼하게 가려진 방한복 사이에 드러난 인간의 얼굴 살을 쪼아대기 시작했다. 혼비백산한 촬영팀들은 서둘러, 타고 온 보트를 몰아 본선으로 도망갔다. 일은 이렇게 일단락되었다. 하지만 재앙은 지금부터였다.

아일랜드 수도 더블린에 도착한, 영국 BBC 다큐멘터리 팀은 2주간의 휴가를 즐겼다. 그러던 어느 날, 섬에서 돌아온 뒤 대략 90일쯤, 촬영팀 직원들이 하나씩 쓰러지기 시작했다. 고열과 복통, 피부 발진, 홍반, 괴사,

오심, 구토, 설사, 출혈까지, 바이러스 감염 질환의 모든 증상을 겪은 그들은 병원 입원 후 며칠 만에 모두 사망했다. 이때까지만 해도 몰랐다. 이게 어느 정도의 재앙인지는.

아일랜드에서 시작한 전염병은 며칠 만에 영국 전역으로 번져갔다. 그리고 불과 몇 달 뒤, <앤탁틱디오스흡혈박쥐>의 학명에서 이름 지어진, <디오스 바이러스>에 의해 전 세계 1억의 인구가 사라졌다. 통계에 의하면, 앞으로 1년 이내에 10억의 인구가 사망할 것으로 내다봤다. 각국의 모든 국경이 봉쇄되고, 도시에 사는 인간은 집에서 한 걸음도 나갈 수 없게 되었다. 모든 인간의 행위가 멈췄다.

하지만 나는 달랐다.

나는 이미 예견하고 있었다. 이런 날이 오리라는 것을…. 시간문제였다. 그러므로 나는 모든 것을 준비하고 있었다. 나는 무척 똑똑했다. 그리고 나는 대단히 성공한 사업가다. 나는 적은 수고에 비해 지나치게 많은 돈을 벌고 있었다. 나는 영악하고 냉혈한이다. 나는 더러운 빈민가에서 자라, 아무리 울어도 내 입에 젖꼭지를 물려주지 않는다는 사실을 일찍 깨우쳤다. 아무리 발버둥 쳐도 학교 폭력의 그늘을 벗어날 수 없다는 것은 깨달은 나는, 나의 자존심을 쓰레기통에 가차 없이 처박아 버리고, 녀석들이 원하는 것을 적극적으로 갖다 바쳤다. 그들의 따까리가 되어 나만큼 비천하고 만만한 학우들을 쑤시고 다녔다. 그리고 깨달았다. 돈이 권력이라는 사실을.

돈을 악착같이 모았다. 그리고 보았다. 불법 온라인 음란사이트가 대단히 큰돈을 번다는 것을. 개발자를 끌어모으고 가출 여자들을 섭외하여 사이트를 개설했다. 물론 바지사장도 내세웠다. 돈이 쏟아졌다. 하지만 절대로 국내에서는 오래 할 수 없는 것. 서버를 외국으로 옮겼다. 그때 나는 루마니아를 알게 되었다. 연이어 불법 도박 사이트도 개설했다. 나는 루마니아와 한국을 오가며 떼돈을 벌었다. 학창 시절 나를 두드려 패던 녀석들이, 이제 모두 내 밑에서, 굽신거리며 내게 충성을 바쳤다. 하지만 나는 알고 있다. 꼬리가 길면 잡히는 법. 한국의 사법 시스템이 결코 나를 그냥 둘 리가 없다는 것을.

블라드 체페슈

나는 루마니아의 쓰러져가는 고성을, 현지인을 대리로 내세워 헐값으로 샀다. 그리고 그 주변, 산과 호수, 밭을 모두 사들였다. 그리고 성을 보수했다. 호텔과 카페테리아, 연회장을 만들고 테마파크도 집어넣었다. 그리고 <블라드 체페슈> 성으로 국내에 광고했다. 마치 그 유명한 드라큘라 백작의 성인 것처럼 포장하고 광고하여 한국 관광객들을 끌어들였다. 하지만 이것은 그저, 루마니아를 왔다 갔다 하는 합법적인 사업가로 보이려는 수단일 뿐이었다. 그러므로 한국 관광객 유치에는 다소 소극적이었다. 그보다는 더 중요하고 은밀한 돈벌이가 여기에 있었다. 나의 표적은, 돈을 주체할 수 없을 정도로 많이 가진, 재벌 2세나 졸부들이었다. 그들의 일탈과 탐욕을 이용하기 위한 거였다.

그러려면 우선 외부와 철저히 단절되어야 했다. 부자들은 자신들의 욕망을 온전히 누릴 수 있는 은밀하고 안전한 곳을 본능적으로 선호한다. 나는 나의 성과 숲, 호수를 아우르는, 아주 높은 담을 쌓았다. 그리고 전류를 흘려보내 감히 누구도 담치기를 못 하도록 만들었다. 그리고 숲에는 다양한 짐승을, 호수에는 수많은 종류의 물고기를 풀어놓았다. 그중에는 사람을 해칠 수 있는 것들도 있었다. 한마디로 사파리를 조성했다. 그리고 이곳 공무원들을 돈으로 매수해서 카지노 운영권을 따냈다.

성의 내부와 주변에도 다양한 시설을 마련했다. 카지노뿐만 아니라 오락실, 사우나, 수영장, 안마소, 실내골프, 테니스장, 영화관, 레스토랑, 커피숍 그리고 드라큐라를 주제로 한 공포 테마파크까지. 하지만 가장 중요한 시설은 이 성의 지하에 있었다. 나는 이것을 기획하면서 흥분을 감추지 못했다. 우연히 다큐멘터리에서 본, 400년 만에 발견된 죽음의 동굴에서 착안하여, 나는 인간의 공포를 극대화할 수 있는 기발한 아이디어를 실행했다. 나는 깊은 동굴을 팠다. 그런데 구멍을 한 개만 판 게 아니었다. 입구에서 조금 가면 2개의 구멍이 나왔다. 파란 구멍, 빨간 구멍. 이것은 영화 <매트릭스>에서 주인공이, 진실을 알기 위한, 빨간약과 파란 약 중 하나를 선택하는 것에서 따왔다. 2개의 구멍 중 하나를 선택하여 십여 미터쯤 가면 다시 2개의 구멍이 나왔다. 역시 빨간 구멍, 파란 구멍. 해답은 둘 중 하나. 끝까지 틀리지 않고 제대로 답한 사람은 가장 빨리 출구를 나올 수 있다. 그렇지 않으면 동굴에서 좀 돌아야만 했다.

나는 지하 동굴이 대단히 만족스러웠다. 그리고 할리우드에서 공포 소품 제작자로 유명한 사람을 고용하여 동굴 전체를 괴기스럽게 꾸몄다. 나의 왕궁이 비로소 완성되었다. 이제 마지막 단계, 운영 인력이 필요했다. 나의 성을 지켜줄 보안요원과 동유럽의 쭉쭉 빵빵 미녀들을 모집했다. 드디어 모든 것이 끝났다. 돈만 거둬들이면 되었다. 나는 은밀하고 조용하게 이 세상 부자들에게 초청장을 보냈다.

<당신이 욕망하는 모든 것을, 오로지 선택받으신 분만, 이곳 블라드 체페슈 성에서 누릴 수 있습니다. 카지노 이용객은 최고급 호텔, 레스토랑, 테마파크 등 모든 위락시설이 무료입니다.>

예상대로였다. 나는 이런 날이 올 것을, 스스로 개척했다. 나는 늘 내가 냉정한 천재라고 느꼈다. 돈벌이에 관한 한 나를 따라올 자가 없다고 항상 생각했다. 모든 호텔 객실이 고객들로 꽉 찼다. 그들은 근사한 아침을 먹고, 사우나에서 안마받고, 숲과 호수에서 사냥과 낚시를 즐기다가, 자신이 손수 잡은 신선한 고기로 배를 채운 뒤, 카지노에서 도박하고 미녀와 함께 테마파크에서 음탕한 공포를 체험하면서, 하루를 쾌락답게 보내는 거였다. 소문은 부자들 사이에 삽시간에 퍼졌다. 일 년 치 예약이 모두 찼다. 나는 스위스 비밀 계좌에 부지런히

돈을 갖다 날랐다. 적어도 <디오스 바이러스>가 세상을 집어삼키기 전까지는 말이다.

그래, 우리는 알고 있었다. 괴상하고 괴기한 바이러스가 하나씩 둘씩 나타나서, 툭하면 사람을 괴롭히며 우리 곁에 머물렀다는 사실을. 나는 진작 알아봤고 이미 모든 준비를 마쳤다. 나는 팬데믹 시대에도 큰돈을 버는 방법을 연구하고 실천했다. 나는 나의 왕국 곳곳에 은밀하게 식품저장소를 설치하고, 오래 보관이 가능한 가공식품을 저장했다. 적어도 1년 동안은 버틸 수 있는 양이었다. 그리고 각종 소독약과 항생제, 의료 장비, 방독면을 대량 구매하고 차단막을 모든 방에 설치하였다. 연료를 대량 확보하고 자가전기설비를 갖췄다. 그리고 유럽의 특수 용병 출신의 보안요원과 군사 장비, 폭탄을 곳곳에 배치했다. 게다가 최첨단 백신 개발 연구소에 막대한 후원금을 냈다. 이 연구소는 태평양 한가운데 있는 작은 섬에 있으므로, 완전히 고립된 곳이었다. 또 한 가지, 나는 우리 성에서 약간 떨어진 곳에 헬기장과 격납고를 만들고 헬기를 마련했다.

성의 중심, 대형 홀에는 초대형 TV를 설치했다. TV에서는 24시간 실시간으로 중계되는, 세상의 소식을 전할 것이다. 그리고 내 비장의 무기. 나는 할리우드의 특수효과 전문 감독들을 끌어모아 영화를 대량 제작했다. 질보다는 양이었다. 그래서 나는 아주 긴 영화를 요구했다. 그리고 영화 편집자들을 모집했다. 그들에게, 지금까지 나온 영화 중 지구 멸종을 다룬 필름을 모아 짜깁기를 요구했다. 그렇게 모든 준비를 마쳤다. 나는 이제 귀를 쫑긋 세우고 어딘가에서 들려오는 슬픈 소식을 학수고대하며 기다렸다. 그리고 그날은 생각보다 무척 빨리 다가왔다. 바이러스는 인류를 멸종시킬 기세로 맹렬하게 덤벼들었다. 나는 은밀하고 조용하게 이 세상 부자들에게 초청장을 보냈다.

<당신이 바이러스의 공포에서 벗어나게, 오로지 선택받으신 분만, 이곳 블라드 체페슈 성에서 1년간 안심하고 머물 수 있습니다. 모든 약과 의료 장비가 준비되었고, 모든 곳이 100% 완벽하게 살균되었습니다. 바이

러스가 사라질 때까지 하루하루 즐거운 삶을 누리시기를 바랍니다. 선착순 딱 100명만 받겠습니다. 서두르시기를 바랍니다. * 카지노 1년 VIP 정회원은 최고급 호텔, 레스토랑, 테마파크 등 모든 위락시설이 무료입니다.>

불과 사흘 만에 100명의 회원을 채웠다. 전세계에서 이름만 들어도 알만한 부자들이 모여들었다. 나는 전 직원들에게 미리 알린 대로 명령했다. 동서남북, 성의 모든 문이 굳게 닫혔다. 담장의 전력을 최대치로 올리고 각 초소에는 24시간 비상 대기 체제로 들어갔다. 이제 나의 왕국에는 쥐새끼 한 마리 들어 올 수 없게 만들었다. 모든 시설은 매일 살균했다. 그리고 성내 모든 인원은 의무적으로 1주일에 1회 바이러스 검사를 받도록 했다.

모든 것은 완벽했다. 우리는 외부와 철저하게 차단되었다. TV에서는 매일 아비규환으로 변해가는 세상의 소식을 생생하게 전하고 있었다. 하지만 우리 성의 입주민들은 그저 불구경하듯 쳐다볼 뿐이었다. 이곳 삶은 온갖 탐욕과 쾌락의 결정체였다. 홀에서는 매일 성대한 파

티가 열렸다. 마음껏 사냥하고 먹고 마시며, 도박하고 남녀가 어울렸다. 그들에게 바깥은 단지 영화의 한 장면일 뿐이었다. 그리고 나는 이제, 세상에서 가장 부유한 인간이 되기 위한 나의 마지막 계획을 실행할 준비를 마친 상태였다. 나는 드라큐라 성주답게 그들의 피를 남김없이 쭉쭉 빨아 먹을 것이다.

그러려면 우선, 싱싱한 생고기가 필요했다. 왜냐하면, 한 달쯤 지나자, 숲과 호수에 풀어 놓은 야생동물이 거의 멸종상태였다. 그러니 모든 음식은 통조림으로 대체되기 시작했다. 당연하게도 차츰차츰 가공식품에 질리기 시작하는 이들이 늘어났다. 최고의 쉐프가 아무리 맛있게 통조림으로 요리를 해도, 신선한 생고기의 풍미를 잡을 수는 없는 법. 나는 이것도 이미 예상하였다. 피가 뚝뚝 떨어지는 싱싱한 고기를 얻는 방법. 의외로 간단했다. 나의 성은 세상에서 가장 안전하다는 소문이 이미 쫙 퍼진 상태였다. 그러므로 성 주변에는, 매일같이 바이러스의 공포를 피해 주위를 서성이는 이들이 차고 넘쳤다. 그중에 젊고 토실토실한 이들을 골라 성으로 받아들였다. 그리고 바이러스 검사 명목으로 그들을 격리했다. 그곳은 모든 전파가 차단된 방이었다. 그러므로 그들의 휴대전화기는 무용지물이었다. 대신 게임기와 TV가 그들의 무료함을 달랬다. 그리고 매일 풍성한 가공식품을 그들에게 먹였다. 그들은 만족한 돼지로 차츰차츰 변했다.

한편, 주방에서는 그날 필요로 하는 생고기 양을 산정해서 격리실 관장에게 전달한다. 그러면 관장은 필요한 수의 인간을 뽑아 가스실로 그들을 보냈다. 물론 그들에게는 격리기간이 끝났으니 이제 이 성에서 마음껏 살 수 있다는 담당자의 말에, 그들은 기쁜 마음으로 가스실로 달려갈 것이다. 그리고 우리가 익히 보아온 장면이 나타난다. 내가 존경해 마지않는 히틀러의 멋진 유산. 홀로코스트의 백미. 가스실 명판은 당연히 <살균실>로 되어 있다. 그 방에 모인 이들은 우선 모든 옷을 벗어 세탁실 바구니에 담아둔다. 모든 귀중품은 자신의 이름을 적은 박스에 보관한다. 그렇게 나체가 된 그들은, 재스민 향이 가득한 가스실에서 행복을 느끼며 저세상으로 간다. 얼마 뒤, 환기가 끝난 가스실에 직원들이 나타나 죽은 이들을 캐리어에 담아 <해체실>로 보낸다.

그날 저녁, 신선한 생고기로 만든 향긋한 스테이크가 제공된다. 사람들은 열광한다. 그들은 서둘러 자신의 페이스북과 인스타그램에 사진을 올리고 멋진 말을 남긴다. 천국의 맛. 내 생애 최고의 스테이크. 고든 램지가 울고 갈 천생(天上)의 고기 맛. 비건이 아닌 게 천만다행. 이건 그냥 고기가 아냐! 신이 내린 축복이야!….

하지만 이것이 전부가 아니다. 신선한 생 살코기에 고소한 참기름을 뿌려 만든 육회, 막 짜낸 피를 깨끗하게 굳히고 당면을 넣어 만든 아바이 순대, 남은 살코기를 갈아서 만든, 두툼한 수제 햄버거 패드, 대가리를 푹 삶아 압착기에 꾹 눌러 만든, 쫄깃한 머리 고기, 정력에 비상한 관심을 보이는 상남자를 위해 제공하는, 피가 뚝뚝 떨어지는 생간 요리….

그렇게 사람들은 점점 인육에 미쳐가기 시작했다.

여기에 덧붙여 나는 나의 성을 점점 괴기스럽게 꾸미기 시작했다. 내게는 뼈를 발라내고 남은 많은 찌꺼기가 있었다. 피, 머리, 해골, 손가락, 발가락, 머리카락, 껍질, 내장까지…. 그러므로 값싸고 손쉽게 공포스러운 장식을 추가할 수 있었다. 우선 피를 곳곳에 뿌려 사람들이 비린내에 익숙하게 만들었다. 가뜩이나 인육에 미친 그들은 손쉽게 비린내에 물들었다. 그리고 방부 처리한 각종 인간 부산물을 이용한 장식을 매일 조금씩 조금씩 설치해 나갔다. 점점 나의 성은 기괴한 뱀파이어로 변해 갔다.

나는 나의 원대한 계획이 하나하나 차곡차곡 무르익어 가는 현실에 깨춤을 출 정도로 기분이 좋았다. 그리고 점점 심하게 흥분하기 시작했다. 내가 그렇게 학수고대했던 바로, 그 지하 동굴을 이제 저들에게 소개할 때가 된 거였다. 이 세상 최고의 사기꾼만이 할 수 있는, 내 생애 최고의 작품. 블라드 체페슈 지하 동굴을 공개합니다. 여러분에게…. 하지만 잠깐, 그에 앞서 나는 몇 가지 선행작업을 시작했다.

아마겟돈

어느 날, 나는 나의 궁전의 모든 전파를 차단했다. 이제 외부와의 어떤 통신도 허락되지 않았다. 그리고 다음 날, 내가 심혈을 기울여 제작한 수많은 영화를 TV로 하나씩 하나씩 내보내기 시작했다. 모든 영화의 내용은 간단했다. 기자가 화면에 나와 마치 긴급 속보를 전달하는 것처럼, 긴박하게 상황을 설명하고, 뭔가에 쫓기듯이 카메라를 흔들며 뛰어다녔다. 화면을 가득 채운 것은 지구의 종말. 아마겟돈이었다. 저 멀리서 번쩍이는 섬광과 굉음이 쏟아지고 사람들의 비명도 적절하게 집어넣었다. 차들은 뒤엉켜 불타오르고 건물은 멀쩡한 게 하나도 없이 철저하게 파괴되고 부서졌다. 부모를 잃은 어린아이는 통곡하고, 슈퍼마켓은 약탈자로 가득하고, 곳곳에서는 대포 소리 기관총 소리가 난무했다. 수많은 이들이 피를 흘리며 쓰러졌다.

사람들이 모두 홀에 몰려들어 이 놀라운 광경을 지켜보기 시작했다. 이때쯤 나는 회심의 자막을 TV 화면에 흘려보냈다. <미국 주요 도시 피폭…. 원자폭탄으로 추정…. 미국과 유럽 연합 즉각 중국과 러시아에 선전포고…. 모든 통신 불능….> 사람들이 웅성거리기 시작했다. 그들은 공포에 질린 표정으로 서로를 쳐다보며 황급히 휴대전화기를 만지작거렸다. 하지만 모든 연락은 단절된 상태. 이제 그들의 눈과 귀는 오직 이 TV에만 의존할 뿐이었다. 이 순간을 기다렸다는 듯, 나는 단상에 올라가 마이크를 켰다.

"친애하는 블라드 체페슈 성 입주민 여러분…. 저는 이 성의 성주입니다. 여러분이 방금 뉴스로 보시다시피, 세상은 팬데믹 이후 강대국 간의 반목과 불화로 인해 대재앙 수준의 전쟁에 직면했습니다. 세상은 파괴되고 종말로 향하고 있습니다. 모든 통신은 단절되었습니다. 그나마 TV 케이블 선은 아직 유지되고 있지만, 언제 끊어질지 모르는 상황입니다. 하지만 여러분은 안심하셔도 됩니다. 이곳은 이 세상 어느 곳보다 안전합니다. 핵전쟁에 대비한 지하 벙커 시설과 방독 시설, 약품과 식품저장 시설이 모두 완벽하게 갖추어져 있습니다. 그러므로 여러분은 안전한 이곳에서 평화가 올 때까지 편안히 계시며 일상생활을 즐기시기를 부탁드립니다. 감사합니다."
곳곳에서 박수 소리가 들려왔다. 나는 흐뭇한 미소를 띠며 단상을 내려왔다. 몇몇 사람은 내게 다가와 고맙다며 악수를 청하였다. 나는 다정한 미소로 그들을 다독였다. 그리고 나는 내 속을 가득 채운, 더러운 이빨을 드러내기 시작했다.

나는 카지노의 기본 판돈을 대폭 올렸다. 그리고 모든 무료 서비스를 유료로 바꾸었다. 그리고 턱없이 비싼 값을 매겼다. 특히, 생고기의 값을 어마어마하게 올렸다. 인육에 중독된 입주민들의 항의가 빗발쳤다. 당연한 일이다. 나는 이 모든 것을 예상하고 주관하는 신이다. 내가 내 세우는 논리는 단 하나였다. 이거면 그들의 불만 섞인 입을 확실하게 막을 수 있었다.

<전쟁이 언제 끝날지 알 수 없다. 하지만 우리가 비축한 자원은 한정되어있다. 그러므로 우리는 전쟁이 끝날 때까지 최대한 버틸 수 있도록 아껴야 한다. 만약 우리의 정책이 마음에 들지 않으면 지금 당장 나가도 된다. 다만 한번 나가면 두 번 다시 돌아올 수 없다.>

입주민들의 원성은 당연하게도 쑥 줄어들었다. 하지만 늘 그렇듯이 세상에는 불평불만 자들이나 뭐든지 삐딱하게 반응하는 놈, 선동을 부추기는 자들이 존재하는 법. 그들은 외부와 철저하게 차단된 채, 피 같은 자기 돈이 턱없이 비싼 사용료로 빠져나가는 것에 의심의 눈길을 보내며, 노골적으로 항의를 하면서 동조자들을 끌어모으기 시작했다. 하지만 내가 누군가? 이 모든 것을 주관하고 예측하고 해결책을 진두지휘하는 능력자가 아니던가!

어느 날 나는 불만 세력 중 가장 목소리가 큰 녀석을 내 방에 불렀다. 그리고 물었다.

"이름이 어떻게 되시나요?"

"알베르입니다." 그는 약간 거만한 눈초리로 나를 쳐다봤다.

"당신은 성 외부의 상황을 눈으로 직접 보고 싶은가요?" 나는 차분하게 물었다.

"할 수만 있다면 보고 싶습니다. 사실 입주민 중에 의심하는 자들이 꽤 많습니다." 그는 기다렸다는 듯이 그의 바람을 드러냈다.

"물론 그러시겠죠. 사람은 자신이 직접 보지 않은 것에 대하여 의심하는 버릇이 있으니까요. 그러면 일주일을 드리겠습니다. 부디 무사히 돌아오셔서 직접 보고 체험한 내용을 제대로 알려주시기를 바랍니다." 나는 마치 자애로운 아비가 된 것처럼 그의 손을 잡으며 말했다.

“그렇게만 해 주신다면 더한 나위 없이 감사하겠습니다. 성주님.” 그는 마치 은혜를 받은 성도처럼 기쁜 표정으로 연신 고개를 숙였다.

“다만, 외부로 향하는 모든 문은 납으로 완전히 봉쇄되었고, 또 나가는 모습을 다른 분들이 보게 되면 동요가 심해질 수 있으므로, 은밀하게 외부로 통하는 지하 통로를 이용해주시기 바랍니다. 집사의 안내를 받기를 바랍니다.” 나는 간단하게 외부에서 주의해야 할 수칙을 알려주고 필요한 장비 및 촬영 도구가 든, 작은 배낭을 건네주었다.

“감사합니다. 꼭 날짜 안에 돌아오도록 하겠습니다.” 그는 뛸 듯이 기뻐하며 집사의 뒤를 따라갔다.

동굴

집사와 알베르는 동굴 입구에 다다랐다. 동굴에는 곳곳에 CCTV가 마이크와 함께 설치되어 있다. 카메라가 미치지 않는 사각지대는 한 군데도 없었다. 그리고 모든 촬영 영상은 자동으로 메인 서버에 저장이 되었다. 나는 모니터실에서 그들은 지켜봤다. 집사는, 거의 여든이 다된 할아버지다. 그는 알베르를 지긋이 쳐다보며 천천히 말을 했다.

“이곳은 원래 공포 테마파크로 만든 인공 동굴입니다. 고객님도 잘 아시다시피 드라큐라가 우리 성의 메인 테마이지 않습니까?”

“네, 그렇죠….” 알베르는 고개를 끄덕거렸다.

"그러므로, 가시는 중간마다 무서운 장면이 연출될 것입니다. 놀라거나 당황하지 마시기를 바랍니다. 모두 인형일 뿐입니다."

"네, 네, 잘 알겠습니다." 그들은 소곤거리듯이 말을 했지만 내 귀에는 속속 들어왔다. 나는 마이크 성능에 만족했다.

"그리고 또 한 가지 말씀드린다면, 이 동굴은 10개의 구역으로 나뉘어 있습니다. 즉, 10단계입니다. 그리고 단계마다 2개의 구멍이 나타납니다. 빨간색과 파란색 구멍. 그냥 재미로 만든 거니 당황하지 마시고 그중 한 곳으로 들어가시면 되십니다."

"어느 곳으로 들어가던 다음 단계로 넘어가는 건가요?" 알베르는 이해가 안 되는 표정으로 집사를 쳐다봤다.

"네, 한 곳은 다음 단계로, 나머지 한 곳은 빙글빙글 돌아 다시 원위치로 나옵니다. 그러니 잘못된 구멍으로 들어가셔도, 어차피 나와서 처음에 선택하지 않은 구멍으로 다시 들어가시면 다음 단계로 가게 되어 있습니다. 쉽죠?”

“아, 네 잘 알겠습니다. 그러면 혹시 해답지 같은 거 있지 않나요? 각 단계에 무슨 색 동굴로 들어가야 다음 단계로 넘어간다는?” 알베르는 잠시 생각하더니 노인에게 물었다.

“해답은 없습니다. 알베르 님이 구멍 입구에 멈추는 순간, 바닥에 설치된 발판이 시스템에 신호를 보냅니다. 그러면 메인 작동 프로그램이 무작위로 빨간색과 파란색을 순간적으로 결정합니다. 그러므로 우리는 어떤 게 정답인지 모릅니다. 그 순간 컴퓨터만 알고 있을 뿐입니다.” 내가 꽤 신경을 쓴 부분이었다. 나의 멋진 동굴 시스템. 나는 이제 내가 설계하고 만든 이것이 내 생각대로 진행되는지를 설레는 가슴으로 지켜보고 있다.

"네, 알겠습니다." 알베르는 마지 못한 눈초리로 고개를 끄덕거렸다.

"그리고 각 구멍의 입구에는 알약이 놓여 있습니다. 그 약은 설탕에다가 약간의 진정제 성분을 추가했습니다. 동굴이라는 폐쇄된 공간에 여러 가지 기괴한 형태를 연출하다 보니 일부 관람객들이 본의 아니게 극심한 공포를 느껴 뜻하지 않은 사고를 낼 수 있습니다. 그래서 그런 약을 준비했으니 혹시 불안감이 커지거나 공포를 제어할 수 없다고 느끼시면 약을 드시기를 추천합니다." 내 비장의 무기. 그건 진정제가 아니라 환각제였다. 공포를 더욱 두렵게 느낄 수 있는….

집사는 마지막으로 가장 중요한 메시지를 전달했다.

"아, 그리고 이 동굴에 한 번 들어가게 되면, 출구는 딱 하나입니다. 즉, 뒤돌아 나올 수는 없습니다." 집사의 말에 알베르는 당혹스러운 듯 그의 얄팍한 입술을 말아서 입술로 자근자근 씹기 시작했다.

"너무 심려하지 마시기를 바랍니다. 아무리 잘못되어도 1시간 내에는 출구를 찾으실 수 있을 것입니다. 그럼 행운을…." 집사는 마치 혼잣말처럼 중얼거리며 알베르를 쳐다봤다.

"네…. 알겠습니다. 그럼 믿고…." 알베르는 이제 선택의 여지는 없다는 듯이 결심을 하며 대답했다.

집사는 나가고 이제 알베르 혼자 동굴 입구에 남았다. 그 순간, 동굴 입구의 문이 쇳소리를 심하게 내며 열렸다. 그는 약간 망설이는 듯하더니 크게 심호흡을 하고는 발을 옮겼다. 그가 동굴에 들어가자마자 문이 '쾅' 하고 닫혔다. 그는 놀란 듯 주춤거리며 뒤를 돌아보았다. 이때, 안내 방송이 울렸다.

"블라드 체페슈 지하 동굴에 오신 것을 환영합니다! 60초 뒤에 당신 앞에 빨간 구멍과 파란 구멍이 나타날 것입니다. 당신의 현명한 선택이 당신을 구할 수 있습니다. 그럼 행운을 빕니다.” 동굴 내의 그의 행동은 모두 녹화가 되고 있었다. 나는 느긋이 앉아 내 첫 고객의 반응을 살펴봤다. 알베르는 두려운 기색이 역력해 보였다. 나는 회심의 미소를 지었다. 나의 기대에 꼭 들어맞는 인간이었다.

이윽고 빨간 구멍과 파란 구멍에 조명이 들어왔다. 작지만 그 끝을 알 수 없어 보이는 구멍 속을 알베르는 이리저리 살펴보더니 빨간 구멍으로 들어가기 시작했다. 성인 어른이 수그려서 겨우 들어갈 정도의 높이를 그는 끙끙거리며 천천히 나아갔다. 점점 깊게 들어갈수록 높이는 올라갔으나 폭은 좁아지고 조명은 더욱 검붉게 물들었다. 그리고 알 수 없는 이상한 짐승의 울부짖음과 바람 소리가 흘렀다. 금방이라도 뭔가가 옆에서 튀어나와 그를 옭아맬 듯한 분위기였다. 그는 한 걸음 한 걸음 신중하게 앞으로 나아갔다. 하지만 그의 표정은 완전히 겁에 질려 넋이 나간 듯 보였다. 나는 그를 지켜보며 참을 수 없을 만큼 웃음이 나왔다. 나의 완벽한 늪에 그는 완전히 빠진 듯 보였다.

나는 이제 그를 슬슬 골탕 먹이며 갖고 놀기로 마음 먹었다. 우선, 패널에 있는 <블러드> 단추를 눌렀다. 그러자 동굴 천장에서 핏방울이 똑똑 떨어지기 시작했다. 100% 순수 사람 피였다. 흔한 게 사람 피인데 굳이 값비싼 가짜 피를 사용할 이유가 없었다. 피는 알베르의 머리와 어깨를 적시기 시작했다. 처음에 그는 붉은 조명 속이라 물방울로 생각했다가 냄새를 맡아 보고는 화들짝 놀라며 뒤로 물러섰다. 나는 그의 얼굴을 줌으로 당겨 확대된 화면을 보았다. 혼자 보기 너무 아까운 장면이었다. 악마에게 혼이 다 빼긴 표정이었다. 그는 몇 번 더 주춤하며 비실거리다가 뭔가 작정을 했는지 갑자기 속도를 내어 뛰기 시작했다. 어둡고 좁고 울퉁불퉁한 동굴 속에서, 그는 부딪히고 넘어지고 괴성을 지르다 울먹이기까지 하면서 필사적으로 동굴을 빠져나왔다. 나는 이 모든 영상이 고스란히 촬영되고 있다고 생각하니, 백마 탄 왕자처럼 훌훌 날아다니는 기분이었다.

그가 겨우 빠져나온 동굴은 바로 그의 출발지였다.

그는 빙글빙글 돌아 원위치에 다시 섰다. 그의 옷과 살갗은 군데군데 찢기고, 다리는 서 있기조차 힘들게 부들거렸다. 그는 동굴 입구에 놓여 있는 알약을 보자마자 대번에 삼켰다. 그리고는 파란 구멍으로 비실거리며 들어갔다. 그가 한 발씩 내디딜 때마다 푸른 조명은 서서히 검푸르게 변하였다. 그리고 어딘가에서 냉기가 올라왔다. 그는 이제 온몸을 부들부들 떨면서 어기적어기적 나아갔다.

나는 이때, <아이스> 버튼을 눌렀다. 그러자 동굴의 바닥에 핏물이 고이기 시작했다. 질퍽질퍽하는 소리가 생생하게 들렸다. 하지만 그것도 잠시, 바닥의 핏물은 얼어붙기 시작했다. 쩍쩍 발이 달라붙는 소리가 나기 시작했다. 그러자 알베르의 입에서 짐승 같은 신음이 메아리쳤다. 그리고 나는 <미끄럼> 버튼을 눌렀다. 동굴의 바닥이 서서히 밑으로 내려가기 시작했다. 나는 그때, 이 동굴을 이렇게 훌륭하게 꾸민 할리우드 특수 제작팀에게 깊은 감사를 드렸다. 알베르는 잠시 버둥거리다 속절없이 미끄러져 내려가기 시작했다. 구부정하고 모난 동굴을 그는 수십 차례 받혀가면서 튕기듯이 동굴을 빠져나갔다. 그는 바닥에 나 뒹굴어진 채로 한동안 일어날 생각을 하지 못했다. 그때 이런 방송이 들려왔다.

"고객님, 축하드립니다. 1단계를 무사히 건너셨습니다. 2단계도 변함없이 빨간 구멍과 파란 구멍이 60초 뒤에 나타났습니다. 당신의 현명한 선택이 당신을 구할 수 있습니다. 그럼 행운을 빕니다."

알베르는 악을 쓰며 겨우 일어났다. 그는 또 일어나자마자, 구멍 입구에 놓인 알약을 꼴딱 삼켰다. 아무리 약한 환각제라고 하지만 벌써 2알을 삼킨 그는, 허공에 뭔가가 나타났는지 팔을 휘우 적 휘우 적 저으며 알 수 없는 말을 지껄였다. 그러더니 이번에는 파란 구멍으로 먼저 들어갔다. 나는 그를 보면서 물에 빠진 생쥐가 불현듯 생각났다.

어릴 적 나는 저지대 빈민촌에 살았다. 낡은 집과 집 사이에 아주 좁은 도랑이 흘렀는데 그곳은 쥐의 천국이었다. 나는 집안 어디를 가든지 쥐와 마주쳤다. 변소에도, 부엌에도, 안방에도, 다락방에도 내 시선이 가는 곳에는 어김없이 쥐들이 몰려다녔다. 하릴없이 집에서 빈둥빈둥 놀았던 아버지는, 유난히 쥐를 무서워하는 어머니를 위해 매일 쥐덫을 놓았다. 철사로 엮어 만든 길쭉한 직육면체의 쥐덫 안에 미끼를 달아 놓고 문을 열어 두면 어김없이 다음날, 까만 눈동자에 겁에 잔뜩 질린 쥐가 걸려들었다. 그러면 아버지는 그 녀석을 곱게 죽이지 않았다. 빨간 대야에 물을 절반쯤 받아 놓고는 쥐덫을 거기에 담가 두었다. 그리고 꼭 나를 불렀다. 우리 부자는 다정하게 앉아, 좁은 우리 안에서 숨을 쉬려고 코끝을 하늘로 향한 채, 발버둥 치며 수영하는 쥐를 재밌게 감상하곤 하였다. 그러다 결국, 쥐가 죽으면 아버지는 가죽을 벗기고 손질을 한 다음, 연탄불에 쥐 고기를 구웠다. 그 향긋한 향기를 나는 지금도 잊을 수 없다. 나는 침을 꼴깍꼴깍 삼키며 고기가 빨리 익기를 학수고대했다. 특히, 나는 쥐의 대가리를 아주 좋아했다. 아들을 끔찍이 사랑하셨던 나의 아버지는 모든 쥐의 대가리는 나에게 양보하셨다. 나는 쥐 대가리를 꾹꾹 씹으며 아버지의 사랑에 감복하곤 하였다. 그리고 공장에서 어머니가 퇴근해서 오기 전까지 우리는 말끔히 모든 증거를 없앴다. 어머니는 그 집을 끔찍이 싫어하셨지만, 아버지와 나에게는 사실 천국 같은 곳이었다. 나는 잠들기 전, 항상 내일이 빨리 오기를 빌었다. 그러면서 마치 쥐 대가리를 씹듯이 쩝쩝거렸다.

나는 지금, 처량하기 그지없는 몰골로 구멍에서 비실거리고 있는 알베르를 보면서 그때처럼 입을 쩝쩝거리기 시작했다. 그리고 곧바로 쉐프를 호출했다. 그가 나타나자마자, 나는 다음과 같이 명령했다.

"저기 저 화면에 보이는 녀석이 죽으면, 몸뚱이는 떼고 대가리만 장작불에 구워 오늘 저녁 메인 요리로 제게 올려주세요." 그러자 쉐프는 재밌다는 표정을 지으며 고개를 끄덕이고 돌아갔다.

나는 다시 입맛을 쩝쩝 다시며 이번에는 <워터> 버튼을 눌렀다. 그러자 동굴이 급격하게 가라앉기 시작했다. 그는 발악하면서 잠시 버티는가 싶더니, 거의 다이빙하듯이 밑으로 떨어졌다. 좁고 깊은 물웅덩이였다. 마치 우물과 비슷한 크기였다. 그는 허우적거리며 그곳을 빠져나오려고 발버둥을 쳤다. 나는 감탄사를 연발하며 이 장면을 지켜봤다. 어릴 적, 나를 행복의 도가니로 집어넣었던 바로 그 순간이었다. 물에 빠진 생쥐. 나는 등골이 오싹할 만큼 짜릿한 쾌감에 오줌까지 지릴뻔하였다.

알베르는 웅덩이 벽면을 손끝으로 잡고 올라오려고 하였지만 미끄러운지 계속해서 빠져들기만 하였다. 나는 그가 힘들게 올라오다 결국 미끄러질 때마다 손뼉을 치며 환호성을 질렀다. 하지만 나는 그를 여기서 익사시킬 생각은 없었다. 왜냐하면 이제 겨우 2단계였다. 적어도 5단계 정도는 되어야만 했다. 그래야만 나의 멋지고 훌륭한 동영상 작품을 건질 수 있는 것이었다. 그래서 나는 아쉽지만, 이쯤에서 <밧줄> 버튼을 눌렀다. 그러자 동굴 천장에서 밧줄이 천천히 웅덩이 한가운데로 내려오기 시작했다. 알베르는 마치 생쥐처럼 두려움에 가득한 눈동자로 힘들게 뭍으로 올라왔다. 그리고 한동안 누워 가쁜 숨을 몰아쉬었다. 나는 전지전능한 신의 눈으로 그를 쳐다봤다. 한 치 앞도 알 수 없는 허망한 인생이 곧 종료될 줄도 모른 채 그는 그저 헛된 희망을 품고 저렇게 살려고 발버둥 치고 있었다.

알베르는 비실거리며 다시 동굴 입구에 섰다. 그곳은 2단계 입구. 그는 이번에도 한 바퀴 빙글 돌아 원위치로 온 것이다. 그는 다시 알약을 하나 집어삼키고는 빨간 구멍으로 천천히 거의 기다시피 하면서 들어갔다. 나는 이쯤에서 내가 고안한 이 멋진 동굴의 비밀을 하나 정도는 살짝 흘리고자 한다. 그것은 바로, 당신이 빨간 구멍이던 파란 구멍이던 어디를 선택해서 들어가더라도 첫 선택은 항상 빙글빙글 돌아서 원위치로 오게 되어 있다는 것이다. 즉, 10단계를 모두 통과한다면, 당신은 모두 20번의 구멍을 무조건 지나가야 한다는 것이다. 내가 이렇게 만든 이유는 곧 알게 될 것이다.

게임

알베르는 결국, 4단계도 마치지 못하고 쓰러져 일어날 줄을 몰랐다. 나는 할 수 없이 그를 살균실에 데려가서 가스로 죽였다. 나는 맛있게 구운 그의 대가리 요리를 기대하며, 녹화한 동영상을 비디오 에디터에게 넘겼다. 그리고 지시했다. 모든 TV에 그의 영상을 송출하고 준비한 자막을 내보내라고….

잠시 후, 카지노에 있는 모든 TV 화면에 동굴 영상이 떴다. 알베르가 동굴 입구에 서 있고 그의 앞에는 파란 구멍과 빨간 구멍이 놓였다. 그리고 자막이 흘렀다.

<블라드 체페슈 실시간 서바이벌 1 + 1 동굴 게임. 파란 구멍이냐? 빨간 구멍이냐? 과연 그는 어느 구멍을 선택할 것인가? 당신이 맞추면, 베팅한 금액만큼을 추가로 돌려받을 수 있습니다. 시간은 단 60초. 서둘러 선택

하여 주시기 바랍니다.>

그리고 직원들을 시켜 준비한 <휴대용 베팅 리모컨>을 사람들에게 나누어 주었다. 그 리모컨에는 자신의 방 호실과 비밀번호를 입력하면, 인증 과정을 거친 후, 베팅 금액 입력란과 빨간색 버튼과 파란색 버튼 중 하나를 선택할 수 있는 표시가 나타났다. 그리고 밑에는 60초의 시간이 1초씩 줄어들고 있는 액정 화면이 보였다. 0초가 되기 전에 모든 입력을 마쳐야만 게임에 참여할 수 있도록 만들었다. 베팅 금액은 최소 10,000달러로 책정하였다.

처음에 사람들은, 갑자기 나타난 새 게임에 어리둥절하면서 수군대기만 하였다. 당연히 참여한 사람도 극소수였다. 물론 나는 이것을 예상하였다. 아무튼 나는 처음 베팅한 결과를 신속하게 보고 받았다.

<1단계 참가자 수 : 13명, 빨간 구멍 : 9명 (110,000달러), 파란 구멍 : 4명 (40,000달러)>

나는 비디오 컨트롤 실 담당자에게 연락했다. 알베르가 빨간 구멍으로 들어가는 영상을 내보내라고. 그래, 이건 미끼였다. 처음에는 당첨자가 더 많아야 했다. 그래야 입소문이 삽시간에 퍼질 것이고 그들을 따라 수많은 물고기가 미끼를 덥석덥석 물것이다.

아니나 다를까, 카지노에 모인 몇몇 사람들의 환호성이 터져 나왔다. 인간은 영악하다. 특히 부자들은 더 영악하다. 그들은 대번에 이 간단한 게임을 이해하고 베팅을 하기 시작했다. 곧 2번째 결과가 나왔다.

<2단계 참가자 수 : 66명, 빨간 구멍 : 44명 (890,000달러), 파란 구멍 : 22명 (440,000달러)>

2단계도 당연히 빨간 구멍의 손을 들어 주었다. 그러자 카지노에 함성이 떠나갈 듯이 울려 퍼졌다. 나는 그 순간, 나의 뛰어난 지략과 비상하기 짝이 없는 능력

에 감개무량하여 눈물까지 흘렸다. 나는 서둘러 나의 멋진 동굴을 탐방할 2번째 후보자를 뽑았다. 이번에는 좀 더 튼실하여 최소 5단계 이상은 버틸 수 있는 인간으로 선정했다. 그리고 차츰차츰 그리고 아주 신중하게 적은 사람이 선택한 구멍이 당선될 수 있도록 조작했다.

얼마 지나지 않아 동굴 게임의 참가자는 입주자 대부분이 참가하는 인기 게임이 되었다. 그리고 나의 통장으로 상상을 초월하는 돈이 들어오기 시작했다. 그리고 아주 당연하게도, 빈털터리 입주민이 하나둘씩 생겨나기 시작했다. 나는 그들을 꼬드겨 동굴로 차례로 내보냈다. 그렇게 그들은 내게 모든 돈을 바치고, 결국에는 자기 몸도 고기로 바쳤다. 사람들은 자기 이웃이 사라지는 줄도 모르고 게임에 열광하고 있었다.

하지만 나는 알고 있었다. 언제까지 이 장난을 할 수 없다는 사실을…. 입주민들도 눈과 귀가 있는데 차츰차츰 줄어드는 주위의 이웃들에 대하여 의심을 안 할 수는 없는 법. 하지만 나는 언제나 꿰고 있었다. 시작할 줄도 알면 끝낼 줄도 알아야 한다는 것을…. 그리고 나는 이 모든 것을 끝낼 마지막을 위하여 모든 것을 조금씩 조금씩 준비하고 있었다는 것을…. 나는 입주민이 절반쯤 줄어들었을 때 나의 마지막 계획을 실행에 옮겼다.

뱀파이어

나는 점점 더 노골적으로 피를 곳곳에 뿌리고 음식에는 환각제의 양을 늘려나갔다. 그리고 한 번씩 사람의 절단한 다리나 팔을 식탁에 올려놓았다. 이미 인육과 피 냄새에 길든 그들은 초기의 거부 반응에서 돌아서서 점점 노골적으로 환영을 표시하고, 피가 뚝뚝 떨어지는 살점을 씹어 삼키기 시작했다. 나는 목욕탕과 샤워실, 각종 생활용수, 식수에도 피를 섞도록 지시하였다. 그리고 가공식품을 줄여 나갔다. 뭐 이유는 간단하게 둘러댔다.

<비축해둔 식품이 얼마 남지 않았습니다.>

이제 블라드 체페슈 성은 피 냄새가 진동하는, 진정한 의미의 드라큐라 성이 되었다. 나는 조명을 점점 더 붉고 어둡게 만들었다. 그리고 좀 더 기괴한 장식품들을 진열했다. 마지막으로 음식값을 매일 매일 올리기 시작했다. 환각과 피 냄새에 취한 성의 주민들은 날이 갈수록 점점 뱀파이어처럼 변해갔다. 나는 그들의 피를 남은 한 방울까지 쭉쭉 빨아먹기 위해, 매일 피의 축제를 열었다. 그들은 점점 미쳐갔다. 그리고 마지막 남은 인성을 내려놓은 듯, 서로를 공격하기 시작했다. 쓰러진 녀석의 피는 아낌없이 쭉쭉 빨렸다. 그들은 이제 진정한 뱀파이어가 되었다. 나는 이 광경을 지켜보며, 드디어 떠날 때가 되었음을 직감했다.

어느 날 나는 집사, 헬기 조종사와 함께 조용히 성을 빠져나갔다. 그리고 가까이에 마련한 헬리콥터 격납고로 향했다. 우리는 중요 서류가 든 돈 가방을 싣고 출발했다. 그리고 나의 블라드 체페슈 성 상공을 천천히 돌면서 비행했다. 나는 발아래에 펼쳐진 멋진 나의 성을 감회에 젖은 채 한동안 바라봤다. 그리고 가방에서 리모컨을 꺼내 크게 심호흡을 하고 버튼을 눌렀다. 그러자 성 곳곳에 설치해둔 폭탄이 연쇄적으로 폭발했다. 화염은 기대보다 훨씬 크고 장엄했다. 나는 내 얼굴이 화끈거릴 정도의 열기를 느꼈다. 나는 아주 잠깐이지만, 나의 성에서 영문도 모르고 죽어가는 불쌍한 영혼들을 위로했다. 그리고 기수를 바닷가로 돌리도록 명령했다.

무인도

조그마한 항구에 도착한 나는 조종사와 작별하고 집사와 함께 준비해둔 요트에 올라탔다. 그리고 태평양에 있는 작은 섬으로 향했다. 바로 내가 후원한다는 백신 연구소가 있는 곳이었다. 하지만 연구소는 그냥 간판만 있을 뿐, 실상은 나의 별장이었다. 나는 이미 오래전부터 이곳 무인도를 사들여 고급 저택을 짓고 필요한 물품과 관리원을 마련해 두었다. 나는 이곳에서 바이러스가 잠잠해질 때까지 은둔하며 나의 자그마한 왕국을 통치할 생각이었다.

따스한 바닷바람이 살랑살랑 부는 어느 날 나는 마침내 나의 섬에 도착했다. 마중 나온 관리원은 집사만큼 나이가 든 할머니였다. 그리고 그녀의 옆에는 젊고 날씬한 여인이 긴 생머리를 날리며 서 있었다. 그녀는 나를 보더니, 친근한 미소를 지으며 내 가방을 선뜻 들고 앞서 나갔다. 나는 그녀의 섹시한 엉덩이를 바라보며 나의 왕궁으로 걸어서 갔다.

별장은 생각보다 훨씬 크고 산뜻했다. 그동안 꾸준히 돈을 투자한 보람이 느껴졌다. 나는 전면에 난 유리문을 활짝 열었다. 그러자 상쾌한 바닷바람이 쉴 새 없이 나의 뺨을 매만졌다. 나는 나의 시선이 닿는 곳 끝까지, 에메랄드빛 바다가 끝없이 펼쳐진 수평선을 감탄으로 맞이했다. 나는 행복에 겨워 눈물이 날 지경이었다. 이런 날이 올 줄 알고 있었지만, 막상 그날이 되고 보니 주체할 수 없는 감격이 밀려왔다. 더럽기 짝이 없는 빈민가의 자식이 이제는 셀 수도 없는 엄청난 돈을, 유명한 은행 비밀 금고마다 꽉꽉 채웠으니 어찌 놀랍지 않을 수 있으리오!

곧이어 집사가 저녁이 준비되었음을 알려왔다. 그들이 준비한 요리는 다시 한번 나를 감동하게 했다. 크고 싱싱한 해산물과 열대 과일이 보기만 해도 군침이 넘어가게 했다. 나는 돈의 놀라운 능력에 흠뻑 젖은 채, 음탕한 눈초리를 젊은 여성에게 보내며 어기적어기적 음식을 입속에 집어넣었다. 그러는 사이 해가 지고 있었다. 식탁 주위로 붉은빛이 찬연하게 몰려왔다. 나는 그 빛 속에 생글생글 웃고 있는 맞은 편 여인을 바라보며 주책없이 많은 음식을 뱃속에 집어넣고 말았다. 그리고 며칠 동안 이어진 선상 생활의 여독 때문이었을 까? 나는 식사가 끝나자마자 심하게 피곤함을 느꼈다. 그래서 짧게 샤워를 하고는 곧바로 잠자리에 들었다.

****

나는 비몽사몽간에 눈을 떴다. 왠지 이상한 게, 목과 발목이 따끔따끔함을 느꼈다. 그런데 뭔가 이상했다. 시커멓게 생긴 뭔가가 퍼덕거리며 마치 목을 할퀴는 듯이 내게 찰싹 달라붙어 있었다. 나는 크게 소리를 지르며 벌떡 일어났다. 그리고 방 스위치를 찾아 불을 켰다. 그리고는 소스라치게 놀라고 말았다. 수백 마리의 박쥐가 방안을 가득 메우고 있었다. 나는 다급하게 전면 유리문으로 몸을 날렸다. 그런데 유리가 산산조각이 나면서 유리 조각 하나가 나의 목, 동맥을 찌르고 말았다. 피가 분수처럼 쏟아졌다. 나는 얼마 가지 못하고 달려드는 박쥐의 무게에 짓눌려 쓰러졌다. 피가 얼굴 전체를 삽시간에 덮기 시작했다. 그리고 몸이 점점 굳기 시작했다. 나는 이제 손가락질하나 까딱할 수 없었다. 그리고 의식이 점점 떠나가고 있음을 느꼈다.

나는 마지막으로 생각했다. 내가 누군가? 최고의 천재이지 않은가!

이런 날이 올 줄 알았다. 어찌 보면 안 오는 게 이상한 거였다. 숱하게 많은 악행을 저질렀으니, 언젠가 심판받을 날이 오리라는 것을 나는 잘 알고 있었다. <앤탁틱디오스흡혈박쥐>는 물개보다 시원하고 맛있는 나의 피에 환장하고 있었다. 나는 단지 그날이 생각보다 일찍 온 것에 미련이 남을 뿐이었다.

서도사와 검은 반지

조선시대 부평도호부 석천면 구지리에 이천을 본관으로 하는 서씨 성을 가진 사람이 살았다. 서 씨는 본인이 직접 벼슬을 하지는 않았으나 할아버지가 지방 관리의 불법을 규찰하고 과시(科試: 관리를 뽑을 때 시행하던 시험)를 맡아보던 종5품 도사를 지냈기 때문에 이를 계승하여 마을에서 도사라고 불렀다. 서도사는 지역 토호에다 성품이 포악하여 무뢰한이 따로 없었다.

그는 심심하면 술을 잔뜩 먹고 취하여, 장죽을 허리춤에 차고 느릿느릿 팔자걸음을 걸으며, 온 동네가 떠나갈 듯, 돼지 멱따는 소리로 노래를 하였고, 아무나 마주치면 쌍욕을 하면서, 부녀자를 만나면 희롱하고 남정네를 만나면 구타를 하였다. 하지만 100호나 되는 마을의 그 누구도 그를 말리지 못했다. 왜냐하면 인근 전답은 대부분이 서도사 소유였다. 그는 소작농에게도 가혹하여, 돈을 하루라도 늦게 갚으면 사립문에 결박한 후, 침을 뱉거나 따귀를 때렸으며 구정물을 뿌리기도 하였다. 그로 인해 동네는, 하루라도 조용한 날이 없었다.

그러던 어느 날, 귀가 먹고 이도 빠지고 등이 굽은, 초라한 몰골의 한 늙은이가, 이상한 모양의 지팡이를 짚고, 서도사의 집으로 찾아와 겁도 없이 구걸하였다. 숙취로 집에 머물며, 가뜩이나 심심하던 서도사는, 이게 웬 떡이냐 싶으며 아랫것들을 시켜 그의 옷을 벗긴 뒤, 결박하여 물볼기를 한 다음, 곤장을 쳤다. 하지만 뼈만 앙상한 늙은이라 그런지, 볼기와 허벅다리를 번갈아 가며 몇 대 때리지도 않았는데, 어느새 그의 살이 터지고 피가 흥건하게 흘러내렸다. 그는 이 광경을 지켜보며 크게 손뼉을 치면서 좋아했다. 괴상한 앓는 소리를 내던 그 늙은이는 이윽고, 서도사를 저주의 눈초리로 째려보며 다음과 같은 말을 남기며 죽은 듯이 꼼짝을 하지 않았다.

"너는 죽기도 아까운 놈! 살아서 구천(九泉)을 떠돌며 불멸의 고통을 받을 것이다!"

늙은이가 누워 꼼짝을 하지 않자, 서도사는 하인을 시켜 그의 괴나리봇짐을 뒤지게 했다. 하인이 찾은 것은 놀랍게도 국무당(國巫堂) 패였다. 즉, 죽은 이는 <나라의 무당>이었다. 서도사가 아무리 강심장이라고 해도, 나라의 재산을 훼손하였으니 겁이 안 날 수가 없었다. 자칫하면 관가에 끌려가서 유배당하거나 목숨이 위태로울 수도 있는 것. 그는 아랫것들에게 입단속을 하고, 늙은이를 뒷마당으로 끌고 가 불에 태워 모든 증거를 없애려고 하였다.

그렇게 몇 시간 동안 그를 태운 결과, 앙상한 뼈만 남게 되었다. 그런데 그 뼈를 본 이들이 모두 놀라 입을 다물 수가 없었다. 뼈의 색이 칠흑같이 어두운색이었다. 그리고 손가락뼈에는 반짝이는 검은 반지가 끼워져 있었다. 그 반지는 보는 이를 혹하게 만드는 마성의 매력이 있었다. 탐욕스럽기 그지없는 서도사가 이것을 외면할 리가 없었다. 게다가 자기 새끼손가락에 끼워보니 딱 맞았다. 그는 매우 흡족하여, 뒷수습을 하인들에게 맡기고, 그 길로 곧장 기생집으로 갔다.

그는 그곳에서 자기 반지를 자랑하며, 술과 기녀들

을 끼고 놀면서 질퍽한 밤을 보냈다. 하지만 그는 깊은 잠에 빠져들 수가 없었다. 왜냐하면 밤새도록 악몽에 시달렸다. 그 꿈은 이러하였다. 넓고 깊은 동굴을 서도사 홀로 호롱불을 의지한 채 걷고 있었는데 느닷없이 머리가 아홉인 뱀이 나타나 그를 칭칭 감기 시작하였다. 서도사는 벗어나려고 발버둥을 쳤지만 그럴수록 뱀은 점점 더 세게 그의 몸을 휘감아, 결국 서도사는 꼼짝달싹할 수 없게 되었다. 그러자 9개의 뱀 머리 중 첫 번째 머리가 그를 삼키려고 혀를 날름거리며 입을 벌리고 달려들었다. 이 순간 그는 죽을힘을 다해 뱀의 혀를 깨물었다. 첫 번째 뱀 대가리가 피를 철철 흘리며 물러났다. 이번에는 두 번째 뱀 대가리가 달려들었다. 이 또한 녀석의 혀를 서도사의 이빨로 깨물어 잘라냈다. 그러자 뱀의 결박이 느슨해졌다. 이 틈을 이용해 서도사는 오른쪽 팔을 뺀 다음, 동굴의 날카로운 종유석을 떼서 세 번째 뱀 눈을 찔렀다. 그러자 뱀이 꿈틀거리며 뒤로 물러났다. 그는 이때다 싶어 몸을 뺀 다음 종유석으로 나머지 뱀의 눈을 차례대로 찔렀다. 결국 뱀은 기괴한 소리를 지르며 물러났다. 그리고 서도사는 잠을 깼다.

창으로 붉은 아침 햇살이 보이기 시작했다. 서도사는 이게 꿈인 게 천만다행이라고 생각하며 길게 안도의 한숨을 쉬었다. 그리고 몸을 뒤척여 보는데 잠옷과 이부자리가 온통 끈적끈적했다. 그는 이게 땀이라고 생각하고 이불을 발로 차고 일어서려고 했다. 그런데 붉은 햇살에 비친 방안 풍경이 기이하기 짝이 없었다. 방안의 모든 가재도구는 부서지거나 나뒹굴어져 있고 벽이란 벽엔 온통 핏자국 천지였다. 그리고 비린내가 진동하였다. 그는 여전히 꿈속이라고 생각하고 자기 뺨을 한 대 찰싹 때렸다. 그런데 자기 손이 얼굴에 닿자 눈앞에 붉은 핏방울이 사방으로 튀었다. 놀란 눈으로 손을 바라보니 피범벅이었다. 그는 괴성을 지르며 벌떡 일어났다. 그의 이부자리 또한 피 칠갑이었다. 그런데 더욱 놀라운 일은, 그와 잠자리를 같이 했던 기녀가 눈알이 뽑힌 채, 해괴한 모습으로 죽어 있었다.

그는 그 자리에 털썩 주저앉아 벌벌 떨기 시작했다. 이른 아침이라 사방은 조용했다. 은밀하고 비밀스러운 별실이었기에 행인도 없었고 재잘대는 새소리와 가끔 부는 바람 소리뿐이었다. 그는 차츰차츰 진정을 되찾으며 이 사태를 냉정하게 짚어보기 시작했다. 지금, 이 순간, 이 방을 누군가가 들어와 본다면 영락없이 자신이 살인자로 몰릴 판국이었다. 게다가 벽에 난 핏자국은 누가 봐도 서도사의 손바닥 자국이었다. 관가에 끌려가게 된다면 볼 것도 없이 능지처참(能知悽慘)이었다.

서도사는 피에 절은 잠옷을 벗고 깨끗한 도포를 걸친 다음, 쏜살같이 별실을 빠져나와 집으로 도망을 갔다. 그리고 찬물에 몸에 난 핏자국을 모두 닦은 다음, 하인들에게 말을 준비시켰다. 그는 우선 돈이 될만한 귀금속과 집문서, 토지문서를 챙겨서 아들네로 갔다.

이른 아침에 느닷없이 들이닥친 아비를 본 아들은 황급히 그를 방으로 모시고 아침을 준비했다. 하지만 똥줄이 타는 서도사는 바로 각종 문서를 아들에게 넘기고, 말 못 할 사정으로 오랫동안 집을 비울 거니까 그리 알라고만 남기고는 서둘러 집을 나섰다. 거리로 나선 서도사는 말을 급하게 몰아 강화도에 있는 첩의 집으로 갔다. 최근 몇 달 동안은 서도사가 찾지 않았던 터라, 첩은 놀란 토끼 눈으로 그를 맞이했다. 그는 방에 들어오자마자 금덩어리 2개를 내놓고 한 개는 당신이 가지고 한 개는 중국으로 밀항을 도울 뱃사람을 찾아서 주라고 일렀다. 그리고 자신이 여기에 있다는 사실을 누구에게도 발설하지 말라고 신신당부를 했다. 첩은 구두쇠로 유명한 서도사가 이렇게 큰 재물을 그녀에게 안기니 입이 귀에 걸린 채, 싱글벙글하며 서둘러 뱃사공을 수소문하기 시작했다.

그녀가 나간 사이 서도사는 은밀하게 집을 빠져나와 혼자서 마니산으로 갔다. 몇 시간을 끙끙거리며 정상에 오른 그는, 단군이 하늘에 제천 의식을 봉행한 참성단 옆 나무 밑동을 파기 시작했다. 그리고 그가 가져온 재물 중 귀하고 무거운 것을 몰래 묻었다. 그리고 표시해 두었다. 나머지 재물 중 몇몇은 거기서 조금 떨어진 곳에 다시 묻었다. 그는 이제 몸에 지닐 수 있는 작고 가벼운 보석들만 가지고 다시 첩의 집으로 갔다.

서도사가 집에 당도하니 이미 뱃사람이 와 있었다. 그는 검은 얼굴에 풍채가 좋고 눈빛이 음흉해 보였다. 서도사는 그가 그다지 마음에 들지는 않았으나, 누굴 가릴 처지가 아니었으므로 어쩔 수 없이 그에게 몸을 의탁할 수밖에 없었다. 결국, 그날 밤 3경에 포구 근처에서 그를 만나기로 약조를 하였다. 뱃사람이 돌아가고 난 뒤, 서도사는 집안의 하인 2명을 입단속 시키고 모두 근처에 있는 여관으로 보냈다. 그리고 모든 문을 걸어 잠그고 첩과 함께 방에서 꼼짝없이 해가 떨어지기만을 기다렸다.

첩은 서도사의 기이한 행동에 그 사정이 무척 궁금하였으나 감히 물어볼 엄두를 내지 못했다. 게다가 서도사는 그녀를 입막음하기 위하여 몸에 지닌 보석 중 몇 개를 더 내놓았으니 첩으로서는 그야말로 운수대통한 날이었다. 그녀는 정성을 다해 만든, 풍성한 저녁상을 내놓았다. 가뜩이나 온종일 배를 쫄쫄 굶으며 긴장을 하였던 서도사는 마음이 누그러져 허겁지겁 배불리 먹고는 곧바로 잠에 떨어졌다.

하지만 이번에도 서도사는 잠을 제대로 잘 수 없었다. 그는 비몽사몽간을 헤매기 시작했다. 또다시 악몽이 시작되었다. 칠흑같이 어두운 방에 아무것도 볼 수 없는 상태로 피곤함에 절어 누운 서도사는 뭔가 심상치 않은 바람을 느꼈다. 그리고 동시에 팔과 다리, 목이 따끔거리는 것을 느꼈다. 하는 수 없이 그는 무거운 몸을 일으켜 세우고는 호롱불에 불을 밝혔다. 그러자 그의 눈에 뵈진 것은 빼곡하게 방안을 채우고 있는, 흉측하게 생긴 검은 새였다. 몸의 깃털은 듬성듬성 빠져있고 눈알을 피를 흘리듯 빨간 물이 흘러내렸다. 다리는 누렇고 가늘었으며 이마와 턱에는 쭈글쭈글한 창자같이 생긴 것이 덜렁거렸다. 그들은, 서도사의 살이란 살에는 모두 부리를 쪼아 피를 빨고 있었다. 너무도 놀란 서도사는 마구 팔을 저으며 그들을 막으려 했지만, 워낙 많은 새들이 한꺼번에 덤벼들어 새들의 무게에 점점 밀리고 있었다. 점점 그는 숨쉬기가 힘들어졌다. 그는 이제 안간힘을 다해, 저고리의 고름을 이용하여 그의 목을 빨고 있는 새의 목을 칭

칭 감아 죄기 시작했다. 새가 발버둥을 치며 커억커억거렸다. 그럴수록 그는 더욱 집중하여 그 새의 목을 눌렀다. 새의 눈의 터지면서 피가 서도사의 얼굴을 흠뻑 적셨다. 그런데도 서도사는 죽을힘을 다해 그 새가 숨을 거둘 때까지 모가지를 조였다. 그렇게 그는 잠이 깰 때까지 새들을 한 마리 한 마리씩 죽여 나갔다.

서도사는 어느 순간, 벌떡 잠에서 깼다. 사방은 칠흑같이 어둡고 조용했다. 바람 소리만 쓸쓸하게 들려왔다. 그의 몸은 땀으로 범벅이 되었고 심장은 여전히 가파르게 뛰고 있었다. 하지만 이번에도 그는 피비린내를 맡았다. 그는 본능적으로 옆 이부자리를 손으로 더듬거렸다. 하지만 텅 비어있었다. 그는 안도의 한숨을 쉬며 호롱불을 밝혔다. 그리고 그의 앞을 어른거리는 것을 보았다. 그것은 첩이었다. 그녀는 천장에 묶인 끈에 목이 묶인 채 대롱대롱 매달려 있었다. 서도사는 급하게 뒤로 물러나 바닥에 철썩 주저앉았다. 그의 목에서 짐승이 내는 신음이 터져 나왔다. 그는 한동안 그렇게 있었다. 그러다 정신을 차린 그는 마당에 있는 우물로 가서 몸을 깨끗하게 씻었다. 그리고 첩에게 준 보석과 금덩이를 챙겨서 달아났다.

그는 뱃사람을 만나기로 한 포구에 가서 몸을 숨긴 채 그를 기다렸다. 칠흑같이 어두운 밤이었다. 그저 들리는 것이라고는 바람 소리와 찰싹이는 파도 소리뿐이었다. 그렇게 한동안 기다린 끝에 점점 가까워지는 횃불을 서도사는 보았다. 그 뱃사람이었다. 서도사는 그와 함께 포구에 정박한 배로 갔다. 배에 올라탄 그는 배 밑바닥의 작은 공간에 몸을 숨겼다. 사람 하나가 구겨 넣어서 겨우 들어갈 수 있는 면적이었다. 그는 억지로 몸을 숙여 겨우 들어갔다. 바닥은 더러웠고 생선 비린내가 심하게 올라왔다. 옆에는 요강 단지 하나가 놓여있었다. 입에서 욕지거리가 절로 튀어나왔다.

이윽고 배가 크게 한번 출렁거리더니 서서히 방향을 틀어 나아가기 시작했다. 배는 시간이 지날수록 점점 더 큰 파도와 부딪히는 듯, 한 번씩 크게 삐걱거리며 요동쳤다. 서도사는 불편한 자세를 이리저리 움직여가며 고통스러운 한숨을 푹푹 내쉬며 참을 수밖에 없었다. 그러면서 자신에게 일어난 일련의 사건과 사태를 생각해 보았다. 결국, 그 무당 출신의 요망한 늙은이와 그의 검은 반지 때문이라는 결론을 내렸다. 그는 새끼손가락에 끼워져 있는 반지를 빼려고 했지만 빠지지 않았다. 그는 끙끙거리며 한참 동안 반지를 잡아당겼지만, 꼼짝도 하지 않았다. 오히려 새끼손가락만 아팠다.

아침이 밝았는지 흐릿한 한 줄기 햇살이 터진 벽 사이를 비집고 내려왔다. 그는 자기의 손가락을 그 빛에 비추어 자세히 살펴보았다. 손가락 살 속으로, 뭔가 검은 반지에서 나온 뿌리 같은 게 박혀 있었다. 그는 겁이 털컥 났다. 그러다가 뭔가를 결심했는지, 그는 손톱으로 그 뿌리를 살살 팠다. 살을 바늘로 찌르는 고통을 느꼈다. 하지만 그 검은 뿌리는 깊숙이 박혀 있었다. 새끼손가락에 피가 흐르기 시작했다. 그는 어쩔 수 없이 단념하고 말았다. 통증을 도저히 견딜 수 없었다.

그런데 그때, 갑자기 웅성거리는 소리가 들렸다. 발

소리도 나는 것 같더니, 갑자기 덮개 문이 벌컥 열리며 한 줄기 햇살이 강하게 서도사를 비추었다. 그는 눈을 손으로 가리며 따가운 시선으로 주위를 살폈다. 우락부락하고 험상궂게 생긴 어부들이 몽둥이를 든 채 그를 에워싸고 있었다. 그중에 한 녀석이 서도사의 멱살을 잡고 끄집어내더니 그를 바닥에 패기장을 쳤다. 서도사는 보기 좋게 대자로 나자빠졌다. 그의 입에서 살을 저미는 듯한 앓는 소리가 뿜어져 나왔다. 서도사가 바닥에 쓰러져 끙끙거리는 사이, 또 한 녀석이 그의 봇짐을 뒤지기 시작했다. 그러더니 금덩어리를 발견하고는 두 손 높이 쳐들었다. 그러자 모두 환호성을 질렀다.

이번에는 졸개로 보이는 한 녀석이 서도사의 옷을 홀라당 다 벗기기 시작했다. 그리고는 옷뿐만 아니라 서도사의 몸 구석구석을 뒤지기 시작했다. 이윽고 서도사의 옷에서 한 줌의 보석을 발견한 어부들은 신이 나서 깨춤을 추었다. 서도사의 몸 구석구석을 뒤지던 녀석은 결국, 서도사의 검은 반지를 발견했다. 하지만 그들도 서도사의 반지를 손가락에서 뺄 수 없었다. 그러자 한 녀석이 칼을 가져와서 서도사의 새끼손가락을 자르려고 하였다. 하지만 아무리 칼로 손가락을 썰어도 잘리지 않았다. 그동안 서도사는 극심한 고통에 피를 토하는 괴성을 내질렀다. 이번에는 한 녀석이 도끼를 가져와 서도사의 손목을 힘껏 내리쳤다. 하지만 핏방울만 흩어질 뿐 손목은 까딱도 하지 않았다. 그저 서도사의 고통만 더 할 뿐이었다. 그러자 무리 중 덩치가 가장 큰 녀석이 톱을 가져와 서도사의 팔을 쓸기 시작했다. 피가 녀석의 얼굴을 흠뻑 적실 정도로 튀었다. 하지만 이 역시 소용이 없었다. 결국 두목으로 보이는 녀석이 이상함을 느꼈는지, 서도사의 팔에 붙은 살을 한 줌 도려냈다. 그러자 까만 뼈가 드러났다. 뱃사람들은 다들 두려움에 한 발짝씩 뒤로 물러났다.

이윽고 그들 중, 가장 나이가 많이 든 이가 뭔가를 아는 듯 이렇게 외쳤다.

"저주받은 놈이다. 서둘러 바다에 버리자!"

그들은, 고통에 신음하는 서도사를 짚으로 만든 가마니에, 돌덩이와 함께 집어넣었다. 그리고는 몇 명이 힘을 합쳐 뱃머리로 끌고 갔다. 이윽고 서도사를 바다에 빠트리려는 순간, 서도사는 죽을힘을 다해 외쳤다.

"남은 금덩이를 모두 주겠소! 살려만 주시오!" 그들은 이 소리에 모든 동작을 멈추고 두목을 쳐다봤다. 그리고 두목이 외쳤다.

"어디에 금덩이가 더 있느냐?"

"마니산이요. 그곳에 나머지 재물을 묻어났소. 나를 그곳까지만 안내해주시오. 나의 모든 재산을 다 드리겠소." 서도사는 풍전등화(風前燈火) 같은 자신의 목숨을 보전하기 위해 모든 것을 사실대로 말할 수밖에 없었다.

"얼마나 더 있느냐?" 나이 든 어부가 탐욕스러운 눈빛으로 물었다.

"내 장담하건대, 당신들 전부 평생을 호의호식(好衣好食)하며 살아도 그 넘쳐나는 재물은 소진 못 할 것이요." 서도사의 말에 어부들은 모두 신이 났다. 다들 서도사를 공손하게 가마니에서 꺼내, 상처 난 팔과 손을 붕대로 감고, 밥 한 공기와 생선 한 토막을 제공했다. 그리고 서도사를 다시 가두었다. 어부들은 바다에서 해가 떨어질 때까지 기다렸다가 서둘러 뭍으로 방향을 돌렸다. 어둠이 세상을 삼켜버린 바다. 그 속에 오직 흐릿한 한 줄기 별빛을 이정표 삼아 어부들은 조용히 배를 몰았다. 모두 떼부자가 될 부푼 희망을 안고서….

하지만 그들의 탐욕은 여기까지였다. 서도사가 다시 잠들었기 때문이었다. 배 밑바닥에서 서서히 올라오는 검은 물체. 그것은 뱃사람들 하나하나의 배를 갈라 심장을 뜯어내 먹어 치우기 시작했다. 이 광경을 지켜본 두목은 큰소리로 외쳤다.

"놈은 악마다! 놈을 빨리 끄집어내 바다에 버리자!"

그러자 선원 몇 명이 서둘러 배 밑으로 가서 잠든 서도사를 둘러업고 올라왔다. 하지만 서도사를 바다에 던질 새도 없이 검은 물체는 나머지 인간들을 갈기갈기 찢고 말았다. 결국 서도사를 제외한 모든 어부가 공포에 질린 모습으로 숨을 거두고 말았다.

서도사가 잠에서 깼을 때 배 위는 그야말로 난장판이었다. 곳곳에 시체가 나뒹굴었다. 어부들의 모든 장기는 찢어진 몸에서 흘러내렸고, 흥건하게 고인 핏물은 파도에 일렁거렸다. 그리고 어디서 알고 달려왔는지, 수백의 갈매기가 죽은 이의 살점을 파먹고 있었다. 어떤 녀석은 칼자국과 톱자국이 선명하게 드러난 서도사의 팔과 손목을 쪼아 먹으려고 달려들기도 하였다. 서도사는 한동안 넋이 나간 상태로 멍하니 그렇게 있었다.

이윽고 따가운 햇볕이 표류하는 배를 강렬하게 비추었다. 구름 한 점 없는 맑은 하늘이었다. 기운을 차린 서도사는 우선, 금덩이와 재물을 다시 확보하고, 어부의 시체를 하나하나 바다에 버렸다. 그리고 배 바닥을 바닷물로 대충 씻었다. 팔과 손목의 통증은 여전하였다. 손가락은 고름이 고인 채, 썩기 시작하였다. 그는 바닷물로 아픈 부위를 씻었다. 살을 찢는 고통으로 그의 입에서는 짐승 소리가 났다. 게다가 이젠 목마름까지 더해졌다. 결국 그는 심한 갈증을 이기지 못하고 바닷물을 벌컥벌컥 마셨다. 하지만 갈증은 점점 더 심해질 뿐이었다. 그는 막막하기 그지없는 넓은 바다에서, 배에 홀로 남아 죽음보다 더한 절망을 감내하고 있었다.

서도사가 거의 의식을 잃을 때쯤, 저 멀리 배 한 척이 갈매기를 따라 서서히 그에게 접근했다. 그 배에는 노인과 젊은 처자(處子)가 타고 있었다. 서도사를 발견한 노인은, 그가 탈수증으로 의식을 잃은 것으로 판단하고, 그의 입을 벌린 다음 신선한 물을 들이부었다. 물이 어느 정도 서도사의 목구멍으로 들어가자 그는 캑캑거리며 물을 토해내면서 눈을 번쩍 떴다. 의식을 차린 서도사는 그 자리에서 노인에게 보석 한 개를 주면서 그를 살려줄 것을 간청했다.

노인은 선량한 사람이었다. 그는 서도사의 재물은 손도 대지 않고 그를 집으로 데려와 극진히 보살폈다. 게다가 배에 난 핏자국과 비린내로 근거하여, 서도사를 의심하여 관청에 신고도 할 수 있었을 텐데 그를 숨겨 주었다. 하지만 밤이 찾아왔다. 서도사는 점점 두려워지기 시작했다. 그가 잠들면 틀림없이 자신을 도와준 이들을 헤칠 것이 뻔하였다. 그는 태어나서 처음으로 선한 마음이 들었다. 그는 조용히 무거운 몸을 일으켜 그 집을 나섰다. 그리고 금덩이를 남겨 두었다. 그리고 작은 칼 하나를 가슴에 품었다.

그는 어두운 산속을 헤매고 다녔다. 이윽고 더 이상 걸을 수 없을 정도로 지쳐 풀숲에 쓰러진 그는 가지고 온 칼을 꺼냈다. 그는 더 이상 이렇게는 살 수 없다고 생각했다. 더 이상 사람을 죽이지 않기 위하여 그는 자결을 결심하였다. 그는 자기 심장을 향하여 날카로운 칼을 있는 힘껏 깊게 찔러 넣었다. 하지만 그의 손에 뭔가 딱딱한 것이 부딪히는 느낌만 있을 뿐 칼은 더 이상 들어가지 않았다. 아무리 찔러도 꼼짝도 하지 않았다. 극심한 통증과 함께 피만 조금 흘러 내렸다. 서도사는 이제, 자신의 배를 갈라 벌린 뒤, 심장을 관찰하기 시작했다. 살을 태우는 통증이 따라왔다. 하지만 그가 들여다본 것은, 까만 돌덩이처럼 변한 심장이 힘차게 벌떡벌떡 뛰고 있는 모습이었다. 그는 비로소 그가 죽인, 늙은 무당의 마지막 외침을 기억해 냈다.

"너는 죽기도 아까운 놈! 살아서 구천(九泉)을 떠돌며 불멸의 고통을 받을 것이다!"

서도사는 비로소 깨달았다. 그는 절대 죽지 않으며 이곳이 바로 지옥이라는 사실을. 그는 불멸의 악귀가 된 것이다. 끝없는 고통으로 신음하는….

이제 서도사에게 남은 소원은 단 하나. 온전히 죽을 수 있는 방법이었다. 그는 자신에게 검은 반지를 안겨준 늙은 무당의 정체를 먼저 파악해야겠다고 생각했다. 그러기 위해서는 그 국무당이 마지막으로 머물렀던 거처를 알아야만 하였다. 하지만 대명천지(大明天地)에 귀신 같은 몰골로 변한 서도사가 거리를 떳떳하게 돌아다닐 수도 없거니와 이미 살인죄로 수배령까지 내려져 있을 터이니 포졸들의 눈을 피하기도 어려운 게 사실이었다.

결국, 그는 자신이 저지른 것과 같은 방식으로 세상을 떠돌며, 그 무당의 거처를 수소문하기로 결심했다. 즉, 걸인으로 변장해 동네방네 떠돌다가 부잣집이 보이면 무조건 고개를 들이밀고 밥을 구걸하였다. 착한 부자를 만나면, 밥 한 숟가락 잘 얻어먹고 고맙다고 인사하고 나오고, 악한 부자를 만나면, 곤장 몇 대 맞고 곳간에 갇혀 잠들면, 어김없이 그 집식구 모두 처참한 모습으로 죽이고 이른 아침에 유유히 빠져나오는 것이었다.

그렇게 몇 해 동안, 유령처럼 전국을 떠돌며 수소문한 서도사는 드디어 그 늙은 무당의 집을 발견했다. 천황기가 바람에 펄럭거리고 있는 신당 주변에는 신목이 앙상하게 그를 내려다보고 있었다. 문 앞에서 인기척을 내자 무당 복을 한 젊은 여자가 고개를 빼꼼히 내밀었다. 무심한 표정의 그녀는 허름한 행색의 걸인을 보자

대뜸 인상을 쓰며 문을 쾅 닫았다. 하지만 서도사가 거기서 순순히 물러설 리가 만무하였다. 어쩌면 이곳이 불멸의 고통을 끝낼 수 있는 유일한 희망이었다.

서도사는 참을성 있게 다시 문을 두드렸다. 그러자 안에서 앙칼진 소리가 났다.

"네, 이놈, 여기가 어디라고 감히 버티고 섰느냐? 썩 물러나지 못하겠느냐!"

서도사는 할 수 없이 자신이 직접 문고리를 살짝 잡아당기며, 검은 반지를 낀 손을 그녀에게 내밀었다. 한동안 침묵이 흘렀다. 이상함을 느낀 서도사는 문을 천천히 열어젖혔다. 그러자 그녀가 고개를 푹 수그린 채 벌벌 떨고 있었다. 서도사가 가까이 다가가자 그녀는 뒤로 움찔움찔 물러나며 외쳤다.

"다가오지 마라! 이 검은 악귀야!"

"내 당신을 해칠 생각은 없소. 단지 하나만 묻고자 하오. 어떻게 이 반지를 알게 되었소?" 서도사는 그 자리에 엎드린 채, 간곡한 표정으로 그녀를 쳐다봤다. 젊은 무당은 여전히 벌벌 떨면서 식은땀을 줄줄 흘리고 있었다. 그러면서 겨우겨우 대답을 이어갔다.

"내가 그걸 어찌 알겠소. 다만 이곳에 내려오는 전설에 의하면, 오래전 하늘에서 밝은 빛을 내는 것이 떨어졌고, 곧이어 그 검은 물체가 나타나 인간을 숙주로 기생하기 시작하였소. 그놈의 먹이는 악한 자들에게서만 나오는 음흉한 기운이라는 것밖에는…." 서도사는 그녀의 말을 듣고는 맥이 확 풀렸다.

"그럼, 이놈에게서 벗어날 방법은 없는 게요?" 서도사는 절망에 절은 눈빛으로 무당을 쳐다봤다.

"그놈이 원하는 게 뭐겠소? 결국 더 좋은 먹잇감이지 않겠소. 내 스승의 몸에 기생하던 그놈이 왜 당신에게 갔겠소?" 젊은 여인은 숨이 가쁜 듯 몰아 쉬며 겨우 대답하였다.

“그럼, 나보다 더 악한 놈을 만나야 한다는…?” 서도사는 멍하니 시선을 천장으로 향한 채, 넋이 나간 표정으로 중얼거렸다.

“결국, 내가 죽으려면 나보다 더 악한 놈에게 살해되어야 한다는 것…. 그래서 당신의 스승이 나를 찾아와 스스로 죽임을 당하였거늘…. 그것도 모르고 나는 덥석 이 악귀를 받아 삼켰구나….” 서도사는 감당할 수 없는 후회와 동시에 끓어오르는 분노로 문을 박차고 뛰쳐나갔다. 그리고 다시 마을로 내려가기 시작했다. 그러면서 이를 악물고 다짐했다.

‘온 세상을 뒤져서라도 나보다 더 악한 놈을 기필코 찾고 말 것이다. 천년이 걸리던 만년이 걸리던 내 기어이 찾으리라!’

서도사는 다시 걸인이 되어 마을을 돌아다니기 시작

했다. 그렇게 그는 살아서 구천(九泉)을 떠돌았다.

****

세월은 흘러 흘러 어느덧 2044년. 부천은 어느새 동북아 최대의 문화 및 물류 중심지로 눈부신 성장을 했다. 세계의 수많은 젊은이가 부천으로 몰려와 첨단 예술의 향연에 빠져들었다. 한국 문화가 세계의 문화가 된 것이다. 이제는 K-Pop, K-드라마의 대중문화를 넘어 모든 영역에서 한국적 스타일이 전파되어 그야말로 K-Culture가 세계의 흐름이 되었다.

부천은 그 K-컬처의 중심으로, 하루가 멀다 하고 각종 멀티미디어 센터와 위락 시설이 세워지고 확산하여 이제 서울을 능가하는 중심 도시로 변모하였다. 더욱이 깎아지르는 고층 빌딩이 자연과 적절히 조화를 이루며 아름다운 경관을 펼치면서, 일약 <죽기 전에 꼭 가봐야 하는 도시 탑 10>에 매겨지는 기염을 토하기도 하였다.

하지만 밝은 빛의 그림자는 더욱 짙은 법. 사람들이 부천으로 몰려들기 시작하면서 어둠의 자식들 또한 뿌리를 내리기 시작하였다. 각종 마약과 불법 도박, 매춘, 조직 폭력배가 단속의 눈길을 피해 독버섯처럼 자랐다. 그 중심에는 손목에 도끼 문신을 한 <범 도끼 파>가 있었으니 이들은 수도권 전역을 주름잡던 <꽃놀이파>에서 독립하여 부천을 기반으로 급속도로 세를 확산하고 있었다. 더욱이 중국이 가까이에 있다 보니, 그곳을 통하여 각종 마약이 은밀하게 넘어와 번지고 있었다.

그들의 은신처는 부천시의 4개 산 (춘의산, 춘덕산, 세럴산, 봉매산) 각각의 깊은 곳에 있었으며, 밤이 되면 은밀히 내려와 마약을 팔거나 힘없는 시민들을 협박하여 갈취하곤 하였다. 또 어떤 때는 등산하는 젊은 여자를 납치하여 강간하고 가족에게 협박하여 돈을 뜯어내곤 하였다.

그러던 어느 날, 비가 부슬부슬 내리는 늦은 오후. 춘의산 길을 걷던 두 명의 여대생이 범 도끼 파 졸개들에게 납치당해 끌려가고 있었다. 학생들은 도와 달라고 소리를 지르고 싶었지만, 조폭들의 인상이 워낙 험상궂게 생겨서 찍소리도 못 하고 있었다. 이윽고 낮은 언덕에 있는 공터에 그들은 도착했다. 이곳 중앙에는 소각장이 있는데, 조폭들이 죽인 사체나 증거 인멸을 위해 필요한 물건들을 태우곤 하였다.

졸개들은 킬킬거리며 우선 여학생들의 휴대폰과 지갑을 뺏고 배낭을 뒤져 돈이 될만한 것들은 다 빼냈다. 그리고 졸개 한 놈이 여학생을 겁탈하기 시작했다. 그런데 그때, 어디선가 풀숲에서 시커먼 그림자가 갑자기 나타났다. 그의 모습은 마치 산송장처럼 뼈와 가죽만 남았으며 너덜너덜한 옷을 걸치고 몸에서 썩은 내가 진동하였다.

졸개들은 귀신 같은 그의 모습에 처음에는 당황하였으나 이내 평정을 되찾고 그에게 큰소리로 협박했다.

"야! 빨리 꺼져라! 이 더러운 영감탱이야!" 하지만

노인은 물러설 생각이 전혀 없어 보였다. 오히려 그는 품에서 날카로운 칼을 꺼내 들었다. 그 광경을 지켜보던 조폭들은 다시 킬킬거리며 웃기 시작했다. 그들 눈에는 한주먹거리도 안 되는 노인의 몰골이 위협은커녕 가소롭기만 하였다. 이윽고 졸개 한 놈이 귀찮다는 듯이 그도 칼을 빼내 노인에게 달려들었다.

하지만 순식간이었다. 그 졸개는 갑자기 한쪽 눈에 피를 흘리며 비틀거리다 쓰러져 버둥거리기 시작했다. 그 틈을 이용해 납치된 여학생들은 걸음아 날 살리라 하며 도망을 쳤다. 이제 산속에 남은 이는 세 명의 조폭 졸개와 노인. 심산한 바람이 그들 주위를 감돌았다. 예상치 못한 상황을 맞이한 졸개들은 두려움을 느끼며 칼을 들었다. 그들은 서로에게 눈짓하며 동시에 그 노인에게 달려들었다. 그들의 칼끝이 이번에는 정확하게 노인의 가슴과 허벅지를 찔렀다. 하지만 칼은 마치 돌덩이에 찍은 듯 그대로 튕겨 나갔다. 당황한 조폭들이 주춤하는 사이 노인이 공격을 시작하였다. 그는 날렵한 솜씨로 졸개들의 허벅지를 베었다. 두 녀석이 힘없이 푹 쓰러졌다.

그들은 피가 나는 다리를 손으로 감싸며 뒹굴었다.

그 광경을 무심이 지켜보던 노인은 이윽고 돌아서서 천천히 발걸음을 옮겼다. 그런데 그때 노인의 몸에 석유가 확 뿌려졌다. 눈에 피를 흘리던 녀석이 몰래 소각장 옆에 있던 석유통을 가져와 늙은이에게 뿌린 것이다. 그리고는 라이터 불을 댕겨 던졌다. 삽시간에 노인은 불길에 휩싸였다. 노인은 괴로운 듯 몇 걸음을 더 비틀거리며 가더니 이내 폭 쓰러지고 말았다. 불은 삽시간에 타들어 가 노인은 뼈만 앙상하게 남았다.

그때 다리에 칼을 맞은 한 녀석이 웃으며 외쳤다.

“야! 서동수 너 정말 잘했다!” 눈에 피를 흘리던 동수는 싱긋이 웃으며 엄지척을 했다. 그리고 그는 한쪽 눈으로, 죽은 노인에게서 반짝이는 검은 반지를 발견했다. 검은 뼈에 붙은 반지. 그는 잽싸게 반지를 주워 그의 새끼손가락에 끼웠다. 딱 맞았다. 서동수는 아픔도 잊은 채 싱글벙글했다.

죽이고 싶지만 섹스는 하고 싶어

지하철을 탄 나는 기분이 좋았다. 조금 전 끝난 회식 자리에서 부장에게 칭찬을 들었기 때문이다.

"요즈음 MZ세대답지 않아요. 우리 조필호 사원. 열심히 하는 모습 보기 좋습니다. 아무쪼록 좋은 인연으로 오래오래 함께하기를 바랍니다. 자 그럼 우리 귀염둥이 신입인 조필호 사원을 위해 건배합시다!"

과장도 한마디 거들었다.

"저도 무척 기분이 좋습니다. 우리 회사에 복덩이가 들어 온 것 같습니다."

그 자리에 참석한 다른 직원들도 모두 고개를 끄덕이며 동의를 표했다. 나는 쏟아지는 칭찬에 부끄러워, 얼굴을 붉힌 채 고개를 들 수 없었다. 하지만 기분만큼은 하늘을 찔렀다. 나는 지난 3년간, 자의 반 타의 반의 병원 생활을 청산하고, 눈을 대폭 낮춘 뒤 중소기업에 취업했다. 그리고 육 개월 동안 누구보다 성실히 일했다.

누가 요구하지도 않았지만, 나는 남들보다 조금 일찍 나와 사무실을 정리·정돈하였고, 가장 늦게 퇴근하였으며, 항상 밝은 미소와 적극적인 태도로 상사와 동료들을 대했다. 업무도 빨리 배웠고 어려운 일도 마다하지 않았다. 나는 아버지의 가르침대로, 사회에서 초년생이 사랑받기 위한 행동이 무엇인지를 잘 꿰고 있었다. 아버지는 늘 입버릇처럼 다음과 같이 말씀하셨다.

"사랑받는 사람의 귀는 아무리 낮은 소리도 들리기 마련이란다."

나는 바로 그 소리를 듣고자 노력했다. 고래도 춤추게 한다는 그 칭찬을.

밤 11시가 가까워져 오지만 전철 내 승객은 많은 편이었다. 나는 영등포구청역에서 2호선으로 갈아타고 신도림역으로 가는 중이다. 마침 내가 선 곳에 자리가 났다. 나는 본능적으로 사방을 둘러보며 노약자나 임산부를 찾았다. 모두 젊은이들 뿐이었다. 그들은 각자의 휴대폰 세상에 폭 빠져 있었다. 나는 조심스레 좌석에 앉았다.

나의 옆에는 생머리를 귀신처럼 길게 앞으로 늘어뜨리고 선잠이 든 듯한 여인이 꾸벅꾸벅 졸고 있었다. 잠시 그녀를 훔쳐보며 얼굴 옆 라인이 예쁘다고 느꼈다. 화장품 냄새도 좋았다. 나는 코를 벌름거리며 그녀의 향을 본능적으로 공유하려고 노력했다. 그러자 오랫동안 억눌렀던 생물학적 본능이 용솟음쳤다.

'아, 한 번만이라도 좋으니 만져 봤으면….'

하지만 어디까지나 생각이었다. 남녀 간의 신체 접촉에 무척 까다로운 잣대를 들이대는 우리 사회에서 나는 어떻게 대처하여야 하는지를 잘 알고 있다. 나는 무관심한 듯 고개를 내리고 나의 휴대폰에 집중하기 시작했다.

그녀의 머리는 전철의 흔들거림에 따라 상하좌우로 건들거렸다. 그러다 조금씩 조금씩 나의 어깨 쪽으로 그녀의 머리가 기울어졌다. 그리고 마침내 나의 어깨에 닿고 말았다. 나는 그녀의 머리 무게가 차츰차츰 무거워져 가는 것을 느꼈다. 그녀는 완전히 잠에 빠진 것 같았다.

누가 보면 다정한 연인 같은 모습이었다. 그녀의 머리에서는 특유의 쉰내가 올라왔다. 나는 고개를 돌린 채, 나의 어깨를 살짝 올려 그녀의 머리를 반대 방향으로 유도해보았지만, 뜻대로 되지 않았다. 할 수 없이 나는 그 상태로 꼼짝없이 갈 수밖에 없었다. 사실 뭐, 싫지는 않았다.

이윽고 신도림역이 가까워졌다. 많은 승객이 하차하려고 출입구 주변으로 이동하기 시작했다. 내가 앉은 자리 바로 옆이 출입구였으므로 내 주위에 많은 승객이 몰려들었다. 나도 이곳에서 내리기 위해 일어서려고 했다. 하지만 나의 어깨를 점령한 그녀는 세상모른 채 잠들었고 만약 내가 그냥 일어선다면 그녀는 속절없이 쓰러질 것처럼 보였다.

'그렇게 되면 갑자기 잠에서 깬 그녀는 잠시 당황한 모습을 보일 것이고, 이 장면을 지켜본 승객 중 몇 명은 웃을지도 몰라. 그러면 이 가여운 여인은 부끄러워 얼굴을 들 수도 없겠지….'

나는 이 여인에 대해 안타까운 상상을 이어가며 어떻게 처신해야 할지를 고민했다.

'곧 내려야 하는데…. 어떡하지?'

할 수 없이 나는 검지와 중지를 이용해 그녀의 머리를 살살 밀었다. 그런데 그 순간 전철이 덜컥거리며 쇳소리를 내더니 속도가 대폭 줄기 시작했다. 차 안의 모든 승객이 순간 휘청거렸다. 그리고 뒤이어 여자의 앙칼진 목소리가 크게 울려 퍼졌다.

"어딜 만지는 거예요?"

사람들의 시선이 모두 소리 나는 곳으로 향했다. 내

옆 여인이었다. 그녀는 매서운 눈초리로 나를 응시하기 시작했다. 그리고 나의 손가락 두 개를 꽉 거머쥐고 있었다. 마치 범죄 현장에서 결정적인 증거를 확보한 형사처럼 그 모습이 결연해 보였다. 그 순간, 몇몇 승객이 잽싸게 그들의 휴대폰으로 나를 촬영하기 시작했다. 당황한 나는 말을 더듬었다.

"제 제 제가 뭘?"

그때, 지하철이 멈추었다.

"왜 이 손가락 두 개가 내 가슴에 있는 거예요?"

그녀는 나의 손가락을 주변 사람에게 보란 듯이 들어 보이며 내게 따졌다.

"무 무슨 소리예요? 가 가슴에 있다니?"

나는 당황한 채 벌떡 일어섰다. 그리고 그녀가 꽉 잡

은 손가락을 힘껏 당겨 풀었다. 마침 출입구가 열리고 있었다. 나는 가슴에 가방을 움켜쥔 채 허겁지겁 달아나려고 하였다. 하지만 내 앞에서 나를 지켜보던 청년 두 명이 몸으로 나를 막아섰다.

"여 여기서 내려야 합니다."

나는 애원하는 듯한 표정으로 그들을 바라보며 비켜 달라고 요구했다. 하지만 그들은 나를 강하게 붙잡았다.

"도망가시면 안 됩니다. 마무리는 하셔야죠. 저 여자분에게 사과하시던가."

나는 점점 여러 청년에게 에워싸이기 시작했다. 나를 촬영하는 휴대폰의 숫자도 늘어났다.

"저 저 저는 만지지 않았습니다."

"아뇨. 만졌어요! 아저씨! 아저씨가 저를 성추행한 거잖아요!"

그녀의 외침이 다시 울려 퍼졌다.

나는 고개를 강하게 저었다. 그리고 절망적인 표정으로 주변 사람에게 애원했다.

"제발 믿어주세요. 그리고 나가서 얘기하면 안 될까요? 저 신도림에서 내려야 합니다."

"그래요. 나가요. 어차피 저도 여기서 내릴 예정이었어요. 게다가 신고도 해야 하니까."

****

그녀와 나는 천천히 신도림역 안내센터로 걸어갔다. 내 뒤로 여러 명의 청년이 졸졸 따라오며 촬영을 하고 있었다.

"나는 단지 당신의 고개를 젖혔을 뿐이야. 너가 곯아 떨어졌으니까."

여자는 고개를 세차게 저었다.

"아냐. 너는 자는 나의 가슴을 만졌어. 내가 눈을 떴을 때, 확실히 너의 손가락 두 개가 나의 가슴에 닿았으니까."

"그건, 우연이야. 일종의 사고지. 내가 너의 머리를 두 손가락으로 들어 올리려는 순간 전철이 덜컥거렸기 때문이야."

나는 언성을 높였다.

"아냐, 너는 분명히 나를 만지려고 한 거야. 나는 너의 의도를 모를 정도로 어리석지 않아."

여자의 목소리도 커졌다. 옆에 우리를 지켜보던 목격자

가 우리 대화에 끼어들었다.

“여기 이러고 있지 말고 일단 경찰에게 갑시다. 역사에 가면 안내 받을 수 있어요.”

“전 절대 하지 않았습니다. 절 믿어주세요. 제발.”

“절대 믿을 수 없어요.”

“정말로 절대로 절 못 믿는 겁니까?”

“네. 정말로. 죽으면 죽었지 절대로 당신을 믿지 못해요!”

“그러지 말고 그냥 여기서 끝냅시다! 당신도 힘들어져요.”

“무슨 소리예요? 아저씨! 여기서 끝내다뇨? 절대 그럴 수 없어요.”

"그럼 끝까지 갈 생각인가요?"

"가야죠! 당신이 잘 못 했으니까요!"

"후회 안 할 자신 있어요?"

"아저씨! 지금 저 협박하는 거예요?"

"협박은 아니지만, 당신이 지금 저를 코너에 몰아넣고 있어요. 저는 참는 성격이 아니란 말입니다. 저는 그냥 그런 사람이 아니란 말입니다!"

"어떤 사람인데요? 지하철 성추행범이잖아요!"

"확신하세요? 제가 당신의 가슴을 만졌다는 것을?"

"무슨 소리예요? 아저씨! 손이, 아니 손가락 두 개가 어디 있었어요? 아저씨가 더 잘 아시잖아요!"

"저 아저씨 아닙니다. 총각입니다."

"아무튼 성추행했잖아요!"

"자꾸 성추행 성추행하는데 저는 분명히 하지 않았어요. 당신의 무거운 머리를 제 어깨에서 떼어 내기 위해 손을 쓴 거뿐이라고요."

"그러면 당신 손이 제 머리에 있어야지 왜 제 가슴에 있었나요? 제 머리가 가슴에 달렸어요?"

"그건 이미 말했잖아요! 전철이 급정거했다고요! 아시겠어요? 당신의 머리를 들어 올리는 그 순간 말이에요!"

"그럼, 머리는 왜 만졌어요? 남의 머리 함부로 만져도 되는 거예요?"

"당신이 잠들었잖아요! 당신이! 내 어깨에 기댄 채 코까지 골면서 잤다고요!"

"아하! 그러니까 내가 잠들었으니까 마구 만졌겠군요! 그렇죠? 어디 어디 만진 거예요?"

"무슨 소리예요? 당신 대가리만 두 손가락으로 민 것뿐이에요!"

"아무튼 만진 건 만진 거잖아요!"

"그럼 어떡해요? 나는 내려야 하는데! 그 순간 내가 일어서면 당신은 그냥 쓰러지는 거예요!"

"그러니 당신은 내가 잠든 것을 보고 기회다 싶어 머리를 만지는 척하면서 가슴에 손을 갖다 댄 거잖아요!"

"어휴! 내가 말을 말아야지!"

"입이 열 개라도 할 말이 없죠? 아무튼 역에 신고할

거니까 같이 가든 말든 그건 아저씨 맘대로 하세요!"

"아저씨 아니라니까!"

"자꾸 말꼬리 잡고 늘어지지 마세요. 이름도 모르는 성추행범 아저씨!"

"좋습니다. 같이 갑시다. 가서 한번 따져 봅시다. 단 아저씨라 부르지는 마세요! 저는 엄연히 총각입니다."

"그럼, 뭐라고 불러요? 성추행범?"

"조필호. 제 이름은 조필호입니다."

"좋아요. 조필호씨. 갑시다."

"아줌마는 이름이 뭐예요?"

"저 아줌마 아니에요."

"그럼, 아가씨 이름은 뭐예요?"

"그건 알아서 뭐 하게요?"

"하 참! 이 여자 정말 웃기네!"

"제가 웃기게 보이나요? 콩밥 좀 먹고 정신 좀 차려야겠네요. 조필호씨. 지금 세상이 어떤 세상인데 감히!"

"이 아줌마 정말 이상한 여자네. 지금 저하고 한판 붙어보자는 건가요?"

"조필호씨! 당신이 내 앞에서 무릎 꿇고 싹싹 빌어도 용서해 줄까 말까예요. 아시겠어요? 지금 상황이! 당신이 지금까지 숱하게 저지른 그 죗값을 이제 받게 될 거예요. 아시겠어요?"

****

"자자 진정하시고. 왜 자꾸 화부터 내십니까?"

"아니 형사님! 제가 화 안 나게 생겼어요? 저 치한이 내가 자는 사이 내 옆자리에 앉아 무슨 짓을 했는지 생각만 해도 소름이 쫙 끼쳐요!"

"저 형사 아닙니다. 그냥 역무원입니다."

"아무튼 역무원님. 저 아저씨 잡아가세요! 저런 인간 때문에 불안해서 대중교통을 이용할 수가 없어요."

"아줌마! 나는 당신 같은 인간 때문에 전철을 탈 수가 없어! 진짜로 두 팔을 자르든가 해야지! 손을 둘 곳이 없어!"

"그래! 잘라라! 이 더러운 인간아!"

"아이, 참, 왜 이러십니까! 두 분 다 조용히 하세요! 어차피 CCTV 확보 중이니까 여기 진술서만 작성하시고 가시면 됩니다. 나중에 해당 파출소에서 연락이 갈 거니까요. 사실 여부는 법정에서 하시고요."

"그럼, 형사님. 이걸로 법정까지 가는 건가요?"

"저 형사 아닙니다. 역무원입니다. 그리고 두 분이 합의 안 하시면 뭐 어떡합니까? 법으로 해결해야죠."

"네, 맞아요. 저런 인간은 콩밥 좀 먹어야 정신 차려요! 합의고 나발이고 고소 치하고 나발이고 전혀 없으니까 그렇게 아세요! 성추행범 아저씨."

"조필호! 조필호라니까! 이 머저리 같은 여자야! 아저씨 아니라고 몇 번이나 소리쳐야 알아듣냐?"

"그래, 조필호. 너 이 새끼 오늘 너의 제삿날이야! 알겠어? 너는 곧 내 앞에서 손이 발이 되도록 싹싹 빌게 될 거다! 알겠어? 이 더러운 치한새끼야!"

"아이, 참! 심인자씨! 그만 하세요! 지금 여기서 자꾸 그러시면 심인자씨도 소란죄로 잡혀갑니다! 알겠어요!"

"아하! 저 아줌마 이름이 심인자구만!"

"아줌마 아니라니까! 귓구멍이 막혔나? 나 처녀란 말이야! 알겠어? 조필호!"

****

"제발 살려주세요! 조필호님!"

"이젠 제가 하지 않았다는 것을 믿는 건가요? 심인자씨!"

"네. 그럼요. 당신을 믿어요. 그러니 제발…."

"죽으면 죽었지 절대로 나를 믿지 못한다고 이전에 말

씀하신 것 같은데….”

“제가 그땐 미쳤는가 봐요. 마음에 없는 헛소리가 그냥 나온 것뿐이에요. 그러니 조필호님. 저를 용서하시고….”

“제가 그랬죠? 그만하자고…. 그런데 심인자님이 끝까지 가자고 하셨잖아요.”

“정말 미안해요. 정말 죄송해요. 전혀 그럴 마음이 없었는데 그만 나도 모르게 그렇게 된 거예요. 제발 용서해 주세요.”

“하지만 저는 심인자님 당신을 믿을 수 없어요. 지금이야 이렇게 잡혀 있으니까 그저 빠져나올 요량으로 하는 거잖아요. 내가 가고 나면 당신은 곧바로 경찰서로 달려가겠죠.”

“아뇨. 절대로 그러지 않을게요. 그냥 없었던 일로 할

게요. 절대로 절대로 그러지 않겠습니다. 그러니…. 제발….”

“그걸 어떻게 믿죠? 당신이 신고하지 않을 거라는 것을 어떻게 제가 확신할 수 있나요?”

“제가 미쳤어요? 당신을 신고하게요. 한번 생각해보세요. 당신이 저의 집에 이렇게 불쑥 나타났는데 제가 신고를 하면 저는 평생 보복의 두려움 속에 살게 될 거잖아요. 제가 왜 그러겠어요?”

“그건 아니죠. 생각해보세요. 제가 당신 집에 무단 침입한 순간부터, 이전 성추행은 이제 사건도 아닌 것이 된 거예요. 알겠어요? 무슨 말인지? 이제 제가 잡혀가면 저는 강도죄가 성립되는 거예요. 감옥에서 수십 년을 썩게 된다는 말입니다. 그러니 당신은 발 뻗고 편안하게 잘 거고요.”

“하지만 언젠가는 교도소에서 나올 거잖아요?”

"당신은 세월의 속성을 모르는군요? 세월이 약이라고도 하잖아요. 게다가 할아버지가 되어 있을 텐데…. 과연 당신을 찾아 복수할 의지가 있긴 있을까요? 그리고 다시 그 끔찍한 교도소로 돌아갈 용기는요?"

"그럼, 조필호님. 당신이 저의 집에 찾아온 이유는 저를 죽이기 위함인가요?"

"네. 그럴 생각이었어요."

"뭣 때문에? 겨우 성추행범이잖아요."

"겨우 성추행범이 아니니까 문제죠. 우리가 지하철에서 싸우고 있을 때 주위를 한 번이라도 봤어요?"

"주위요?"

"네. 우리 주변 말입니다. 하나같이 휴대폰으로 우리를 찍고 있었어요. 아마 지금쯤 온라인상에 우리의 동영상이 끝없이 번지고 있을 거예요."

"하지만 그렇다고 당신을 죄인으로 몰지는 않을 거예요."

"심인자님, 우습네요. 불과 몇 시간 전까지만 해도 나를 추잡한 성추행범으로 몰아 콩밥을 먹이려고 길길이 날뛰지 않았어요? 게다가 당신이 주위 사람들을 부추겼잖아요. 그들이 우리의 영상을 찍고 인터넷에 퍼트리도록 당신이 미끼를 던진 거잖아요."

"정말 정말 미안해요. 제가 요즈음 안 좋은 일이 너무 많아 그냥 정신이 나갔는가 봐요. 제발 용서해 주세요."

"무슨 일이 있었는데요?"

"며칠 전 우연히 전 남친을 봤어요. 레스토랑에서."

"그런데요?"

"어떤 외국 여자와 밥을 먹고 있었어요. 여자의 배는 남산만 하더군요."

"그런데요?"

"그놈의 표정이…. 그 표정이…. 너무 행복해 보였어요. 연신 웃으며 그 여자의 배를 쓰다듬는 모습이 마치…. 행복에 겨워 죽겠다는…."

"얼마나 사귄 거였어요?"

"오래되었죠. 대학 과 커플이었어요. 스무 살에 만나 서른셋에 헤어졌어요."

"그럼 13년?"

"네. 그런 셈이죠."

"왜 헤어진 거예요?"

"여러 가지 이유가 있지만…. 무엇보다 남자 집안이 가난했어요."

"그게 헤어진 이유라고요?"

"네. 그냥 반지하 월세방에서 출발하고 싶진 않았어요."

"원래 처음에는 다 그렇게 출발하는 거잖아요?"

"무슨 소리예요? 그렇지 않아요! 적어도 제 친구들은…. 그래도 코딱지만 한 아파트라도 다들 장만하고 시작했어요."

"남자가 무직이었어요?"

"아뇨, 대기업 다녀요."

"그럼? 뭐가 문제에요? 번듯한 직장 있겠다 둘이서 열심히 벌면 언젠가 경제적 문제는 해결될 수 있는 거잖아요."

"그래서 지금 괴로운 거예요. 알겠어요? 그땐, 바보같이…. 제가 뭔가에 단단히 홀린 것 같았어요. 대학 시절 나보다 훨씬 못났던 친구들이 잘사는 거에 그냥 심통이 났어요. 그래서 지금 이 모양 이 꼴이 된 거고요."

"지금이 어떤데요?"

"아저씨! 보면 모르겠어요! 단칸방 원룸에 혼자 초라하게 살고 있잖아요. 내일모레면 서른여섯인데…."

"그래서 남자에 대한 적개심이 생긴 거예요?"

"그런 셈이죠. 하지만 어제처럼 아저씨에게 노골적으로

분노를 드러낸 적은 없었어요. 정말이에요."

"하참! 아저씨 아니라니까!"

"네, 죄송해요. 조필호님. 아무튼 저는 무작정 생떼 쓰며 막무가내로 모르는 남자에게 죄를 뒤집어씌우는 그런 사람은 절대 아닙니다. 조필호님. 그러니 제발…."

"그런데 어제는 왜 그랬어요?"

"그런 일이 있었어요. 회사에서."

"무슨 일인데요?"

"그저께 눈이 많이 왔잖아요. 그런데 남자 신뻥이 왜 남자들만 제설 작업해야 하냐고 위에다 따진 게에요. 그래서 뜬금없이 여직원들도 제설작업을 같이 한 거예요. 6년 동안 한 번도 그런 적이 없었는데."

“회사에서 제설작업을 시켜요?”

“네, 공무원이거든요.”

“그런데 제설작업은 같이 하는 게 맞잖아요?”

“네. 맞죠. 그러니 분통 터진다는 거예요. 제 아까운 청춘을 쏟아 여성의 권리를 옹호하고 여성의 차별을 반대하며 살았는데…. 지금 그 결과를 한번 보세요…. 예전 같으면 남편이 벌어다 주는 돈으로 알뜰살뜰 살림하며 오순도순 아기 키우며 느긋하게 살면 되었는데 지금 저를 보세요! 남자는 다 떠나가고 저는 죽을 때까지 직장생활 해야 하잖아요. 그런데 이젠 그 직장에서 누리던 작은 배려도 다 사라지고 있잖아요! 도대체 이놈의 페미니즘은 누구를 위한 건가요?”

“자업자득이군요.”

“네. 그러니 그냥 심통이 난 겁니다. 조필호님. 그러니 제발 목숨만 살려주세요."

"그러면 이렇게 하시죠. 심인자님."

"어떻게요?"

"우선 당신이 나를 무고했다는 영상을 남기는 겁니다. 즉, 조필호가 성추행한 사실이 없는데 단지 세상 남자에 대한 적대감으로 즉흥적으로 했다. 뭐 이런 내용의 동영상을 남기는 거죠."

"그러면 저를 살려주시는 건가요?"

"그리고 또 한 가지 더 있습니다."

"뭔가요?"

"저와 섹스해야 합니다. 그것도 그냥 수동적인 그런 섹스가 아니라 구구절절 너무너무 사랑하는 연인의 뜨거운 정사 장면으로 연기를 해야 합니다."

"네? 섹스를요? 그건 왜요?"

"만일을 위한 거죠. 당신이 절대 신고 못 하게 하는 장치입니다. 그리고 또 한 가지 이유를 들자면…. 그러니까…. 그게…."

"또 뭐죠?"

"저는 그러니까…. 아직 여자하고 한 번도…."

"아직 한 번도 못 해봤어요?"

"네. 아직…. 한 번도…."

"이상하네요…. 조필호님 얼굴정도면 여자들이 꽤 따랐을 것 같은데요…."

"헤헤헤. 빈말이라도 감사합니다. 사실 오랫동안 정신 병원에 있다가 6개월 전에 나왔어요."

"왜요?"

"우울증이죠. 자살 시도를 몇 번 했거든요."

"왜 그랬어요?"

"알잖아요. 한국 사회. 모두 경쟁에 지쳐 우울하잖아요."

"네. 그건 그렇죠. 그런데 얼마나 오랫동안?"

"3년 있었어요. 병원에."

"지금은 다 나았어요?"

"아뇨. 하지만 많이 좋아졌어요. 마음을 비웠거든요.

쇼펜하우어 덕분에. 그냥 지금은 덤으로 사는 삶이라고 생각하고 있어요. 그러니 이런 행동도 할 수 있는 거예요. 어차피 삶은 무의미하니까. 아무것도 아니니까. 그냥 이러는 거예요. 즉, 언제 죽어도 상관없다는 뜻이죠."

"그래서 저와 같이 죽을 생각을 한 거예요?"

"네. 그런 셈이죠. 그런데 당신과 섹스할 생각을 하면서 살고 싶다는 느낌이 들었어요."

"그럼 우리 같이 살아요! 섹스하면서!"

****

나는 일주일 뒤 그녀의 원룸으로 거처를 옮겼다.

NOVELIST

NAM

KING

그레고리 들라디의 묘한 죽음

남킹

남킹 컬렉션 #001

남킹 컬렉션 #002
거짓과 상상
혹은
죄와 벌
남킹 장편소설

신의 땅
물의 꽃
남킹 장편소설
남킹 컬렉션 #003

심해
DEEP
SEA
남킹 SF 장편소설
남킹 컬렉션 #004

남킹 컬렉션 #005
당신을 만나러
갑니다
남킹 사랑 이야기

블루 드래곤
744
남킹 대본집
남킹 컬렉션 #006

꿈은
이루어진다
남킹 소설집
남킹 컬렉션 #007

파벨 예언서
떠오르는 위협
남킹 장편소설
남킹 컬렉션 #008

떠날 결심
남킹 미니픽션
남킹 컬렉션 #009

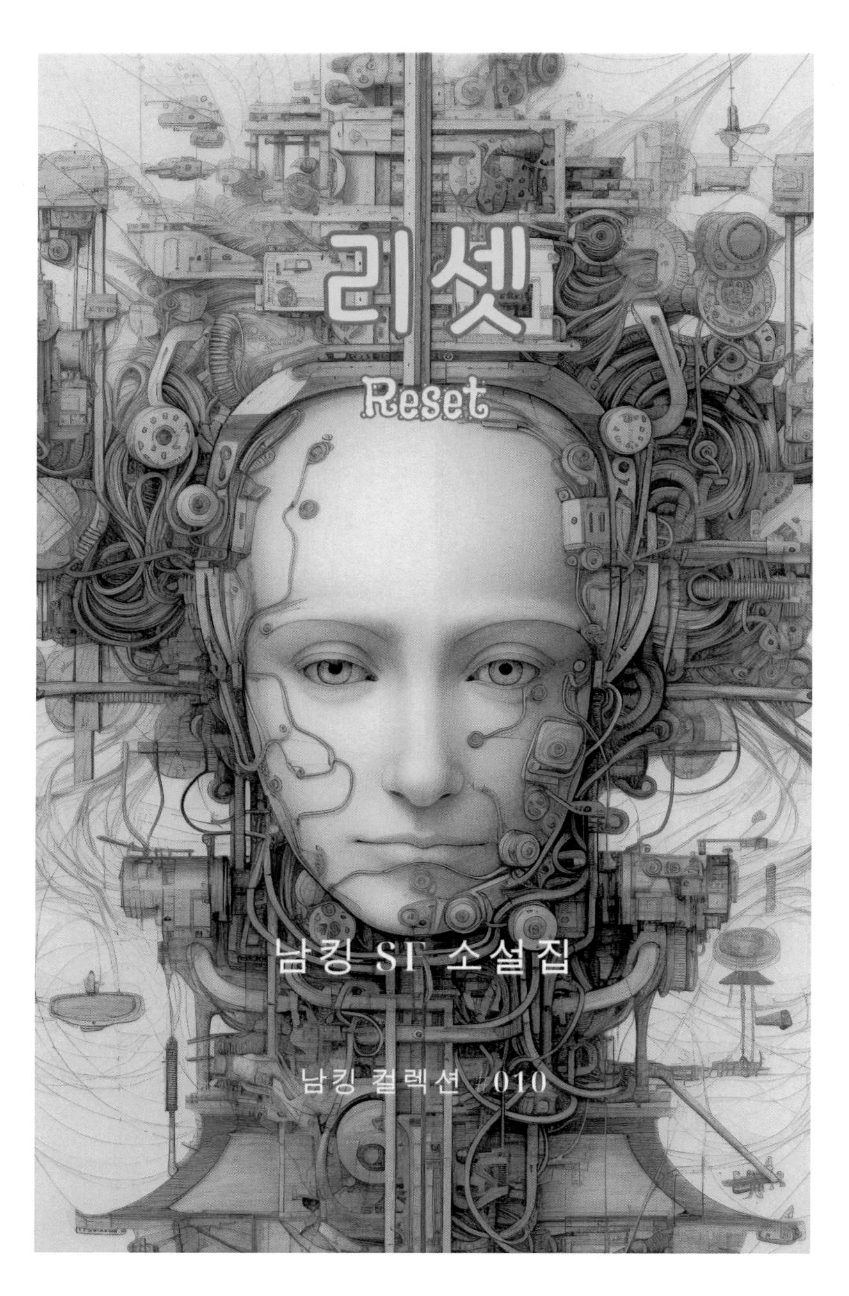
리셋
Reset
남킹 SF 소설집
남킹 컬렉션 #010

남킹 컬렉션 #011
1월의 비
남킹 감성 소설집

남킹 컬렉션 #012
남킹의 문장 1
언어의 마법사 남킹의 문장들

남킹 컬렉션 #013
남킹의 문장 2
언어의 마법사 남킹의 문장들

남킹의 문장
3
언어의 마법사 남킹의 문장들
남킹 컬렉션 #014

남킹 판타지 소설집

하니은 매화

남킹 컬렉션 #015

남킹 컬렉션 #16
남킹의 문장
4

남킹 컬렉션 #017
스네이크 아·일랜드
1권
죽고싶지만 복수는 하고 싶어
남킹 판타지 스릴러

남킹 컬렉션 #018
천일의 여황제
세빈의 남자
남킹 판타지 소설

남킹 컬렉션 #019
이방인
남킹 장편소설

거리를
비워두세요
남킹 음악에세이
남킹 컬렉션 #020

사랑 그 쓸쓸함
에 대하여
남킹 음악산문
남킹 컬렉션 #021

남킹의 문장 1
브런치 스토리
남 킹
남킹 컬렉션 #022

알리칸테는
언제나 맑음
남킹 에세이
남킹 컬렉션 #023

길에 내리는
빗물
남 킹 소 설 집
남킹 컬렉션 #024

서글픈
나의 사랑
남킹 장편소설
남킹 컬렉션 #025

남킹 SF
소설집
브 런 치 스 토 리
남킹 컬렉션 #026

버스 민폐녀
남킹 슬픈 이야기
남킹 컬렉션 #027
소설집

브런치 스토리
남킹 사랑 소설집
LOVE
and
KINDNESS
are NEVER WASTED
They bless the one who receives them...
and they bless YOU, the GIVER.
남킹 컬렉션 #028

남킹 스토리
브런치 스토리
남킹 컬렉션 #029

남킹 스토리 2
브런치 스토리
남킹 컬렉션 #030

남킹의 음악과 글

브런치 스토리

남킹 컬렉션 #031

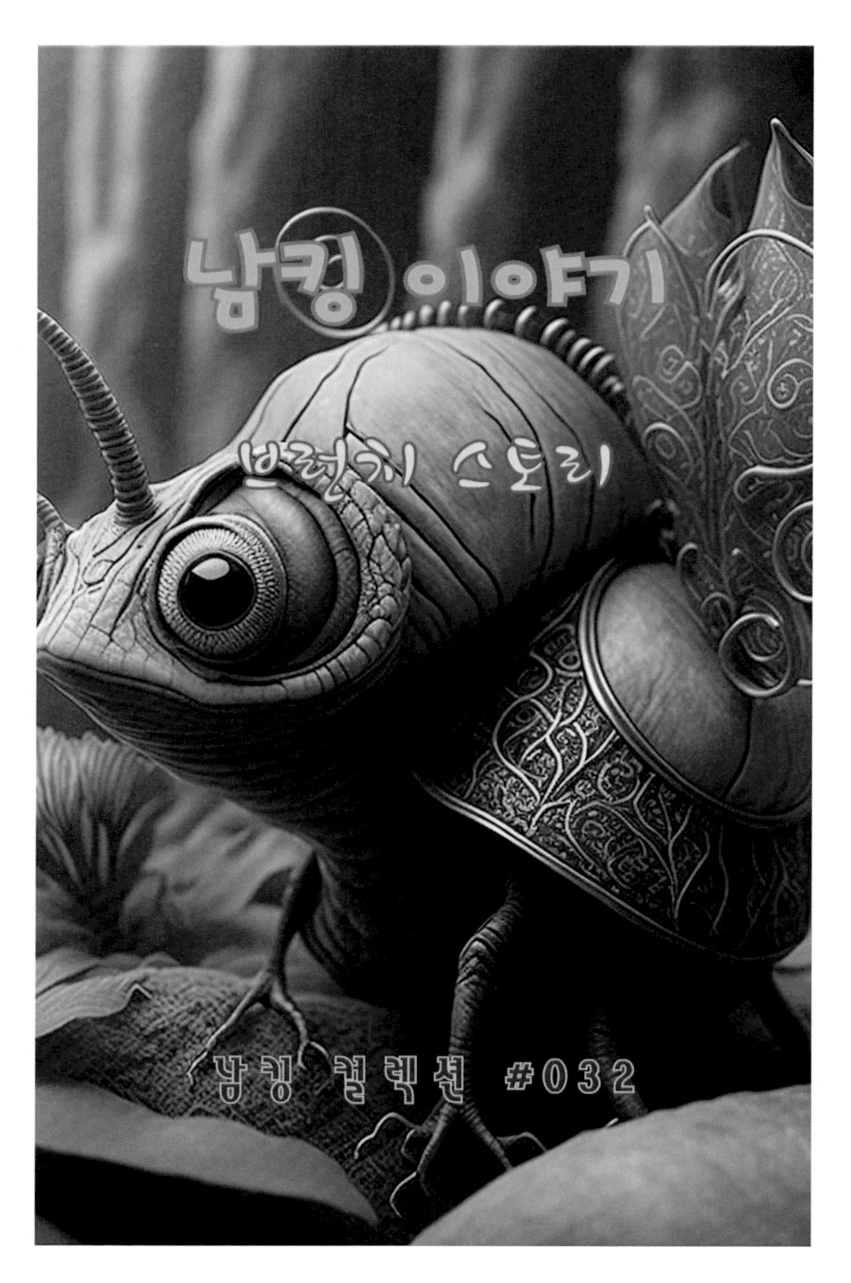
남킹 이야기
번데기 스토리
남킹 컬렉션 #032

눈물이 당신의
볼을 타고
브런치 스토리
남킹 컬렉션 #033

시시포스
브런치 스토리
남킹 소설집
남킹 컬렉션 #034

남킹 장편소설
미리보기
이방인
천일의 여황제
거짓과 상상 혹은 죄와 벌
신의 땅 물의 꽃
심해
그레고리 홀라디의 묘한 죽음
파벨 예언서
스네이크 아일랜드
남킹 컬렉션 #035

Nam
King
Collection
#001 ~ #444

THE STORY
NOVELIST
NAM
KING
HAPPY DAY
MY DREAM
Nam
King
Collection
#001 ~ #444